PAI Rico PAI Pobre

Rich Dad, Poor Dad

Consultor Editorial
Moisés Swirski
PhD em Finanças/New York University
Professor e Diretor do PDG/IBMEC Business School

Tradução
Maria Monteiro

Robert T. Kiyosaki
Sharon L. Lechter

PAI Rico PAI Pobre

Rich Dad, Poor Dad

O que os ricos ensinam a seus filhos sobre dinheiro

25ª Edição

Editora Campus

Do original:
Rich Dad, Poor Dad
Tradução autorizada do idioma inglês da edição publicada por TechPress, Inc.

Copidesque
Isabel Cristina Rodrigues

Editoração Eletrônica
Domus Design Gráfico

Revisão Gráfica
Sandra Pássaro
Mariflor Rocha

Projeto Gráfico
Editora Campus Ltda.
A Qualidade da Informação.
Rua Sete de Setembro, 111 – 16º andar
20050-002 Rio de Janeiro RJ Brasil
Telefone: (21) 3970-9300 FAX (21) 2507-1991
E-mail: info@campus.com.br
ISBN 85-352-0623-X
(Edição original: ISBN 0-9643856-1-9)

CIP-Brasil. Catalogação-na-fonte.
Sindicato Nacional dos Editores de Livros, RJ

K68r Kiyosaki, Robert T., 1947-
Pai rico, pai pobre : o que os ricos ensinam a seus filhos sobre dinheiro / Robert T. Kiyosaki, Sharon L. Lechter; tradução de Maria José Cyhlar Monteiro. – Rio de Janeiro: Campus, 2000

Tradução de: Rich dad, poor dad
ISBN 85-352-0623-X

1. Finanças pessoais. 2. Investimentos. I. Lechter, Sharon L. II. Título.

00-0626 CDD 332.024
CDU 336.76

01 02 03 04 28 27 26 25

Este livro é dedicado a todos os pais,
de qualquer lugar, os mestres mais
importantes de toda criança.

Agradecimentos

Como dizer "obrigado" quando há tantos a quem agradecer? Obviamente este livro é um agradecimento a meus pais, poderosos modelos de vida, e a minha mãe que me ensinou o amor e a bondade.

Algumas pessoas são responsáveis de forma mais direta pela transformação deste livro em realidade. Agradeço a minha esposa Kim, que torna minha vida mais plena. Kim é minha parceira no casamento, nos negócios e na vida. Sem ela estaria perdido. Aos pais de Kim, Winnie e Bill Meyer, por terem criado uma filha tão maravilhosa. Agradeço a Sharon Lechter por reunir os pedaços deste livro em meu computador. Ao marido de Sharon, Mike, por ser um grande especialista em direito e propriedade intelectual e a seus filhos, Phillip, Shelly e Rick, por sua participação e cooperação. Agradeço a Keith Cunningham por seus conhecimentos financeiros e por sua inspiração. A Larry e Lisa Clark pelo dom da amizade e do incentivo. A Rolf Parta pelo gênio técnico. A Anne Nevin, Bobbi DePorter e Joe Chapon por sua compreensão do aprendizado. A DC e John Harrison, Jannie Tay, Sandy Khoo, Richard e Veronica Tan, Peter Johnston e Suzi Dafnis, Jacqueline Seow, a Nyhl Henson, Michael e Monette Hamlin, Edwin e Camilla Khoo, K.C. e Jessica See, pelo apoio profissional; a Kevin e Sara da InSync pelos gráficos brilhantes. A John e Shari Burley, Bill e Cindy Shopoff, Van Tharp, Diane Kennedy, C.W. Allen, Marilu Deignan, Kim Arries e Tom Weisenborn, por seus conhecimentos financeiros. A Sam Georges, Anthony Robbins, Enid Vien, Lawrence e Jayne Taylor-West, Alan Wright e Zig Ziglar, pela clareza mental. A J.W. Wilson, Marty Weber, Randy Craft, Don Mueller, Brad Walker, Blair e Eileen Singer, Wayne e Lynn Morgan, Mimi Brennan, Jerome Summers, Dr. Peter Powers, Will Hepburn, Dr. Enrique Teuscher, Dr. Robert Marin, Betty Oyster, Julie Belden, Jamie Danforth, Cherie Clark, Rick Merica, Joia Jitahide, Jeff Bassett, Dr. Tom Burns e Bill Galvin, pela grande amizade e apoio aos projetos. Ao Center Managers e aos milhares de graduados de Money and You e The Business School for Entrepreneurs. E a Frank Crerie, Clint Miller, Thomas Allen e Norman Long, por serem grandes parceiros nos negócios.

Sumário

Introdução
Há uma necessidade 11

Lições

Capítulo Um — Pai rico, pai pobre 21

Capítulo Dois — Lição 1: Os ricos não trabalham pelo dinheiro 29

Capítulo Três — Lição 2: Para que alfabetização financeira? 59

Capítulo Quatro — Lição 3: Cuide de seus negócios 85

Capítulo Cinco — Lição 4: A história dos impostos e o poder da sociedade anônima 93

Capítulo Seis — Lição 5: Os ricos inventam dinheiro 103

Capítulo Sete — Lição 6: Trabalhe para aprender – não trabalhe pelo dinheiro 121

Início

Capítulo Oito — Como superar obstáculos 135

Capítulo Nove — Em ação 151

Capítulo Dez — Ainda quer mais? 171

Conclusão — Como pagar a faculdade dos filhos com apenas US$ 7.000 177

Aja! 181

Os autores 183

Leituras Recomendadas 185

INTRODUÇÃO

Há uma necessidade

A escola prepara as crianças para o mundo real? "Estude com afinco, tire boas notas e você encontrará um bom emprego com um salário alto", costumavam falar meus pais. O objetivo deles na vida era oferecer instrução superior para mim e para minha irmã mais velha, de modo que no futuro tivéssemos maiores oportunidades de sucesso. Quando finalmente me formei em 1976 – com destaque, pois fui um dos primeiros lugares da turma no curso de contabilidade da Florida State University –, meus pais finalmente atingiram seu objetivo. De acordo com o "Plano Diretor", fui contratada por um dos "Oito Grandes" escritórios de contabilidade e imaginava à minha frente uma longa carreira e uma aposentadoria enquanto ainda fosse jovem.

Meu marido, Michael, seguiu um percurso semelhante. Ambos viemos de famílias trabalhadoras, de recursos modestos, mas com uma forte ética em relação ao trabalho. Michael também se formou com louvor, e ele o fez duas vezes: primeiro em engenharia e depois em direito. Rapidamente foi contratado por um prestigioso escritório de advocacia em Washington, D.C., especializado em patentes. Seu futuro parecia brilhante, com uma trajetória profissional bem definida e uma aposentadoria precoce garantida.

Embora nossas carreiras tenham sido bem-sucedidas, elas não foram exatamente o que esperávamos. Ambos mudamos de emprego várias vezes, pelas razões certas. Contudo, não há planos de pensão garantidos: nossos fundos de aposentadoria só aumentam em função de nossas contribuições individuais.

Michael e eu somos muito felizes no casamento e temos três filhos maravilhosos. Enquanto escrevo este livro, dois deles já estão na faculdade e o terceiro está começando o segundo grau. Gastamos uma fortuna para assegurar-nos de que nossos filhos estão recebendo a melhor formação possível.

Um dia, em 1996, um dos meus filhos chegou em casa decepcionado com a escola. Estava aborrecido e cansado de estudar.

– Por que tenho que perder tempo estudando coisas que nunca aplicarei na vida real? – protestou.

Sem pensar, respondi:

– Porque se você não tiver boas notas, você não vai entrar na faculdade.

– Mesmo que não entre na faculdade – replicou – vou ficar rico.

– Se você não se formar, não vai conseguir um bom emprego – respondi com uma ponta de pânico e preocupação maternal. – E se você não tiver um bom emprego, como é que você pode ficar rico?

Meu filho deu um sorrisinho forçado e balançou a cabeça. Já tínhamos levado este papo várias vezes. Ele abaixou a cabeça e desviou o olhar. Minhas palavras cheias de sabedoria materna caíam novamente em ouvidos surdos. Embora esperto e determinado, ele sempre se mostrou um garoto bem-educado e respeitador.

– Mãe! – começou. Era minha vez de ouvir um sermão. – Caia na real! Olhe o que está acontecendo. As pessoas mais ricas não ficaram ricas por causa do estudo. Veja o Michael Jordan e a Madonna. Até o Bill Gates largou Harvard para fundar a Microsoft, e ainda tem pouco mais de trinta anos. Há um arremessador de beisebol que ganha mais de US$4 milhões embora digam que é "desafiado mentalmente".*

Seguiu-se um prolongado silêncio. Percebi que estava dando a meu filho os mesmos conselhos que meus pais tinham me dado. O mundo havia mudado, mas os conselhos continuavam os mesmos. Boa formação e notas altas não são mais suficientes para garantir o sucesso e ninguém parece ter se dado conta, a não ser nossos filhos.

– Mãe – continuou ele –, não quero trabalhar tanto como você e o papai. Vocês ganham muito dinheiro, moramos numa casa grande e temos muitos brinquedos. Se seguir seu conselho vou acabar como vocês, trabalhando demais só para pagar mais impostos e me endividar. Não há mais segurança no emprego; já sei tudo a respeito de *downsizing* e de *rightsizing*.** Também sei que o pessoal que se forma na universidade não está ganhando tanto quanto

---

* Terminologia politicamente correta para o que se costumava chamar de "débil mental". (N. T.)

** Nova corrente administrativa que sugere às empresas não meramente "enxugar" o número de seus empregados, mas sim manter o número necessário às suas atividades. (N. T.)

antigamente. Sei que não posso depender da Seguridade Social ou dos fundos de pensão da empresa para aposentar-me. Preciso de novas respostas.

Ele estava certo. Ele precisava de novas respostas e eu também. O conselho de meus pais pode ter funcionado para as pessoas que nasceram antes de 1945, mas pode ser um desastre para os que nasceram em um mundo em rápida transformação. Não basta dizer para meus filhos "Vá para a escola, tire boas notas e procure um emprego tranqüilo e seguro".

Eu sabia que tinha que procurar novas formas de orientar a educação de meus filhos.

Como mãe e contadora, preocupava-me com a falta de instrução financeira nas escolas que nossos filhos freqüentam. Muitos dos jovens de hoje têm cartão de crédito antes de concluir o segundo grau e, todavia, nunca tiveram aulas sobre dinheiro e a maneira de investi-lo, para não falar da compreensão do impacto dos juros compostos sobre os cartões de crédito. Simplesmente, são analfabetos financeiros e, sem o conhecimento de como o dinheiro funciona, eles não estão preparados para enfrentar o mundo que os espera, um mundo que dá mais ênfase à despesa do que à poupança.

Quando meu filho mais velho ficou totalmente endividado no cartão de crédito, no primeiro ano da faculdade, eu o ajudei a rasgar os cartões e comecei a procurar um programa que me ajudasse a educar meus filhos em termos de questões financeiras.

No ano passado, meu marido ligou do escritório: "Encontrei alguém que pode ajudar você", disse ele. "Seu nome é Robert Kiyosaki. Ele é empresário e investidor e está aqui para patentear um produto educacional. Penso que é o que você estava procurando."

Justamente o que eu estava procurando

Meu marido, Mike, ficou tão impressionado com *CASHFLOW*, o novo produto educacional que Robert Kiyosaki estava desenvolvendo, que conseguiu que nós participássemos de um teste do protótipo. Como se tratava de um produto educacional, perguntei também a minha filha de dezenove anos, caloura da universidade local, se ela gostaria de participar do teste e ela concordou.

Cerca de quinze pessoas, divididas em três grupos, participaram do teste.

Mike estava certo. Era esse o produto educacional que eu estava procurando. Parecia um tabuleiro coloridíssimo de Banco Imobiliário, contudo havia duas pistas: uma interna e outra externa. O objetivo do jogo era sair da pista interna, que Robert chamava de "Corrida dos Ratos",* e alcançar a pista externa, ou "Pista de Alta Velocidade".** Como dizia Robert, a Pista de Alta Velocidade simula o jogo dos ricos na vida real.

Então Robert descreveu para nós a "Corrida dos Ratos":

"Se você observar a vida das pessoas de instrução média, trabalhadoras, você verá uma trajetória semelhante. A criança nasce e vai para a escola. Os pais se orgulham porque o filho se destaca, tira notas boas ou altas e consegue entrar na universidade. O filho se forma, talvez faça uma pós-graduação, e então faz exatamente o que estava determinado: procura um emprego ou segue uma carreira segura e tranqüila. Encontra esse emprego, quem sabe de médico ou de advogado, ou entra para as Forças Armadas ou para o serviço público. Geralmente, o filho começa a ganhar dinheiro, chega um monte de cartões de crédito e começam as compras, se é que já não tinham começado.

Com dinheiro para torrar, o filho vai aos mesmos lugares aonde vão os jovens, conhece alguém, namora e, às vezes, casa. A vida é então maravilhosa porque atualmente marido e mulher trabalham. Dois salários são uma bênção. Eles se sentem bem-sucedidos, seu futuro é brilhante, e eles decidem comprar uma casa, um carro, uma televisão, tirar férias e ter filhos. O desejo se concretiza. A necessidade de dinheiro é imensa. O feliz casal concluiu que suas carreiras são da maior importância e começa a trabalhar cada vez mais para conseguir promoções e aumentos. A renda aumenta e vem outro filho... e a necessidade de uma casa maior. Eles trabalham ainda mais arduamente, tornam-se funcionários melhores. Voltam a estudar para obter especialização e ganhar mais dinheiro. Talvez arrumem mais um emprego. Suas rendas crescem, mas a alíquota do imposto de renda, o imposto predial da casa maior, as contribuições para a Seguridade Social e outros impostos também crescem. Eles olham para aquele contracheque alto e se perguntam para onde todo esse dinheiro vai. Aplicam em alguns fundos mútuos e pagam as contas do supermercado com cartão de crédito. As crianças já têm cinco ou seis anos e é necessário poupar não só para os aumentos das mensalidades escolares, mas também para a velhice.

O feliz casal, nascido há 35 anos, está agora preso na armadilha da "Corrida dos Ratos" pelo resto de seus dias. Eles trabalham para os donos da empresa, para o governo, quando pagam os impostos, e para o banco, quando pagam cartões de crédito e hipoteca.

**Rat race* (literalmente "corrida dos ratos") é uma expressão usada correntemente na língua inglesa para se referir de modo pejorativo à incessante busca do sucesso no mundo dos negócios. (N. T.)

***Fast track* (literalmente "pista de alta velocidade") é uma expressão usada na língua inglesa para denotar um estilo de vida cheio de emoções. (N. T.)

Então eles aconselham seus filhos a *estudar com afinco, obter boas notas e conseguir um emprego ou carreira seguros.* Eles não aprendem nada sobre dinheiro, a não ser com aqueles que se aproveitam de sua ingenuidade e trabalham arduamente a vida inteira. O processo se repete com a geração seguinte de trabalhadores. Esta é a *Corrida dos Ratos.*

A única maneira de sair da "Corrida dos Ratos" é provar sua proficiência tanto na contabilidade quanto no investimento, que são dois dos assuntos mais difíceis de dominar. Como auditora independente formada que já trabalhou para um dos Oito Grandes escritórios de contabilidade, fiquei surpresa ao ver que Robert tornara o aprendizado desses dois temas divertido e empolgante. O processo estava tão bem dissimulado que enquanto trabalhávamos diligentemente para sair da "Corrida dos Ratos" esquecíamos rapidamente que estávamos aprendendo.

Logo o teste do produto se transformou em uma tarde divertida em que falei com minha filha de coisas que nunca tínhamos discutido antes. Como contadora, jogar um jogo que precisava de uma Demonstração de Renda e de um Balanço era fácil, de modo que tive tempo para ajudar minha filha e os demais jogadores do meu grupo a entender conceitos que eles desconheciam. Naquele dia, fui a primeira pessoa – e a única de todo o grupo do teste – a sair da "Corrida dos Ratos". Saí em cinqüenta minutos, embora o jogo continuasse por cerca de três horas.

Na minha mesa estavam um gerente de banco, o dono de uma empresa e um programador de computadores. O que me perturbou muito era o pouco que essas pessoas sabiam sobre contabilidade e investimento, assuntos importantes para suas vidas. Fiquei imaginando como eles administravam as questões financeiras na vida real. Podia entender que minha filha de dezenove anos não soubesse nada, mas eles eram adultos com pelo menos o dobro de sua idade.

Depois que terminei a "Corrida dos Ratos", fiquei acompanhando por duas horas minha filha e aqueles adultos instruídos e afluentes que rolavam os dados e movimentavam seus marcadores. Embora estivesse contente de vê-los aprender tanto, fiquei incomodada ao perceber como os adultos tinham pouco conhecimento dos princípios básicos da contabilidade e do investimento. Eles não conseguiam ver com clareza a relação entre suas Demonstrações de Renda e seus Balanços. À medida que compravam e vendiam ativos, eles tinham dificuldade em lembrar que cada transação poderia ter impacto sobre o fluxo de renda mensal. Pensei em quantos milhões de pessoas, no mundo real, lutam com problemas financeiros só porque nunca estudaram esse tema.

Graças a Deus, estes estavam se divertindo e se distraíam na ânsia de ganhar o jogo, disse para mim mesma. Quando Robert deu por finalizado o teste, ele nos concedeu quinze minutos para discutir e criticar *CASHFLOW* entre nós mesmos.

O dono de empresa do meu grupo não estava feliz. Ele não gostou do jogo. "Não preciso conhecer isso", disse. "Tenho contadores, gerentes de banco e advogados que me assessoram nestes assuntos."

Robert lhe respondeu: "Você já notou que há uma porção de contadores que não ficam ricos? E gerentes de banco, e advogados, e corretores de valores e corretores imobiliários? Eles sabem muita coisa, e em geral são inteligentes, mas a maioria não é rica. Como nossas escolas não ensinam o que os ricos conhecem, seguimos os conselhos dessas pessoas. Mas um dia, você está dirigindo na estrada, preso no engarrafamento enquanto tenta chegar ao escritório e olha para o lado o vê seu contador preso no mesmo engarrafamento. Você olha para o outro lado e vê seu gerente de banco. Isso deveria dizer-lhe alguma coisa."

O programador de computadores também não ficou muito impressionado com o jogo: "Posso comprar um software que me ensine tudo isto."

O gerente de banco, contudo, estava empolgado: "Estudei isto na escola – quer dizer, a parte da contabilidade – mas nunca soube aplicá-la à vida real. Agora sei. Preciso sair da *Corrida dos Ratos*."

Mas foi o comentário de minha filha o que mais me impressionou: "Me diverti aprendendo" – disse. "Aprendi um monte de coisas sobre como o dinheiro funciona e como investi-lo."

Então acrescentou: "Agora posso escolher uma profissão pelo que quero fazer e não para ter um emprego seguro ou mordomias ou pelo salário. Se eu aprender o que este jogo ensina, ficarei livre para fazer e estudar o que meu coração pede ... e não porque as empresas estão atrás de determinadas habilidades profissionais. Se aprender isto, não vou ter que me preocupar com segurança no emprego e Seguridade Social como a maioria de minha turma."

Não consegui ficar para conversar com Robert depois que o jogo acabou, mas concordei em voltar a me encontrar com ele para falar mais do projeto. Sabia que ele queria usar o jogo para ajudar os outros a ficarem mais espertos do ponto de vista financeiro e estava ansiosa para ouvir mais a respeito de seus projetos.

Meu marido e eu marcamos um jantar com Robert e sua esposa para dali a alguns dias. Embora fosse nosso primeiro encontro social, parecia que nos conhecíamos há anos. Descobrimos que tínhamos muito em comum. Falamos de tudo, de esportes e teatro a restaurantes e questões socioeconômicas. Falamos do mundo em transformação. Ficamos conversando bastante tempo sobre como a maioria dos americanos tem pouca ou nenhuma poupança para a aposentadoria, bem como sobre a quase falência da

Seguridade Social e do Medicare.* Meus filhos teriam que financiar a aposentadoria dos 75 milhões de *baby boomers*?** Ficamos imaginando se as pessoas percebem como é arriscado depender de planos de pensão.

A principal preocupação de Robert era o hiato crescente entre os que têm e os que não têm, nos EUA e nos outros países. Empresário autodidata que viajava em torno do mundo para fazer investimentos, Robert tinha conseguido se aposentar aos 47 anos. Ele saiu do conforto da aposentadoria porque tinha a mesma preocupação que eu tinha em relação a meus filhos. Ele sabe que o mundo mudou, mas que a educação não mudou com ele. Na opinião de Robert, as crianças passam anos num sistema educacional ultrapassado, estudando matérias que jamais usarão, preparando-se para um mundo que não existe mais.

"Hoje, o conselho mais perigoso que se pode dar a um garoto é *Vá para a escola, tire boas notas e procure um emprego seguro*", ele gosta de dizer. "Este velho conselho é um mau conselho. Se você pudesse ver o que está acontecendo na Ásia, na Europa, na América do Sul estaria tão preocupado quanto eu." É um mau conselho, acredita ele, "porque se você quer que seu filho tenha um futuro financeiro seguro, ele não pode jogar pelas velhas regras. É arriscado demais". Perguntei então o que ele entendia por "velhas regras".

– As pessoas como eu jogam por regras diferentes das suas – disse. – O que acontece quando uma grande empresa anuncia um *downsizing*?

– As pessoas são demitidas – respondi. – As famílias sofrem. O desemprego aumenta.

– Sim, mas o que acontece com a empresa, em especial com uma empresa de capital aberto que tem ações na bolsa?

– Em geral o preço das ações aumenta quando se anuncia o *downsizing*, respondi. – O mercado gosta quando uma empresa reduz seus custos salariais, seja mediante a automação, seja apenas racionalizando o uso da mão-de-obra.

– Certo – respondeu ele. – E quando o preço das ações aumenta, as pessoas como eu, os acionistas, ficam mais ricas. Isso é o que quero dizer sobre regras diferentes. Os empregados perdem; os proprietários e os investidores ganham.

Robert estava descrevendo não apenas a diferença entre empregado e empregador mas também entre controlar seu próprio destino e entregar esse controle a alguém.

---

*Medicare é um programa de saúde do governo dos Estados Unidos voltado para os idosos. (N. T.)

**Referência às pessoas nascidas em um período de explosão populacional e, mais especificamente, às pessoas que nasceram na década de 1950. (N. T.)

– Mas para a maioria das pessoas é difícil entender por que isso acontece – disse eu. – Elas só pensam que isso não é justo.

– É por isso que é uma besteira falar para uma criança simplesmente "Tenha uma boa instrução" – disse. – É besteira imaginar que a formação oferecida pelo sistema de ensino preparará seus filhos para o mundo que eles encontrarão depois de formados. As crianças precisam de mais educação. Uma instrução diferente. E elas precisam conhecer as regras. As regras diferentes.

Robert continuou:

– Há as regras seguidas pelos ricos e há as regras seguidas pelos outros 95% da população – disse. – E os 95% aprendem essas regras em casa e na escola. É por isso que hoje é tão arriscado dizer a uma criança, simplesmente, "Estude bastante e procure um emprego". Hoje uma criança precisa de uma formação mais sofisticada e o sistema corrente não está atendendo essa necessidade. Não estou preocupado com quantos computadores há na sala de aula ou com quanto as escolas gastam. Como o sistema educacional pode ensinar o que não conhece? E como os pais podem ensinar a seus filhos o que a escola não ensina? Como você pode ensinar contabilidade para uma criança? Ela não achará aborrecido? E como os pais podem ensinar a investir se eles próprios são avessos ao risco? Em vez de ensinar a meus filhos a buscar a segurança, decidi que o melhor era ensiná-los a ficar espertos.

– Então como é que você ensinaria a uma criança sobre tudo isso de que estamos falando? – perguntei a Robert. – Como podemos facilitar a tarefa dos pais, especialmente quando eles próprios não sabem do que se trata?

– Escrevi um livro sobre o assunto – foi sua resposta.

– E onde está?

– Em meu computador. Está lá há anos, em pedaços. De vez em quando acrescento algo mas nunca consegui organizar o material. Comecei a escrevê-lo depois que meu outro livro virou best-seller, mas nunca acabei o livro novo. Só tenho pedaços.

E estava em pedaços mesmo. Depois de ler os capítulos, achei que o livro tinha méritos e que devia ser publicado, sobretudo nestes tempos em transformação. Concordei em ser co-autora do livro de Robert.

Perguntei-lhe de quanta informação financeira ele achava que uma criança precisaria. Ele falou que dependeria da criança. Ele sabia que desde garoto queria ser rico e teve a felicidade de encontrar uma figura paterna que era rica e que quis orientá-lo. "A educação é o fundamento do sucesso", disse Robert. Da mesma forma que as habilidades acadêmicas são importantes, as habilidades financeiras e de comunicação também o são.

O que se segue é a história dos dois pais de Robert, um rico e outro pobre, mostrando as habilidades que ele desenvolveu ao longo de uma vida.

O contraste entre os dois pais oferece uma perspectiva importante. Apoiei, editei e compilei este livro. Para os contadores que o lerem, peço que suspendam seus conhecimentos acadêmicos e abram suas mentes às teorias apresentadas por Robert. Embora muitas delas contestem os próprios princípios contábeis geralmente aceitos, eles oferecem uma valiosa percepção da forma como os verdadeiros investidores analisam suas decisões de investimento.

Quando nós, como pais, aconselhamos nossos filhos a "ir para a escola, estudar muito e obter um bom emprego", fazemos isso muitas vezes em decorrência de um hábito cultural. Sempre foi certo fazer isso. Quando encontrei Robert, suas idéias de início me espantaram. Tendo sido criado por dois pais, ele foi ensinado a procurar dois objetivos diferentes. Seu pai instruído o aconselhava a trabalhar para uma grande empresa. Seu pai rico o aconselhava a ser dono de uma grande empresa. Ambas as trajetórias de vida exigiam instrução, mas os objetos de estudo eram completamente diferentes. Seu pai instruído o incentivava a ser uma pessoa instruída. Seu pai rico o incentivava a contratar pessoas instruídas.

Ter dois pais causou muitos problemas. O pai verdadeiro de Robert era superintendente de educação no estado do Havaí. Quando Robert estava com dezesseis anos, a ameaça de "Se você não tirar boas notas, você não vai conseguir um bom emprego" tinha pouco efeito. Ele já sabia que sua trajetória profissional era ser dono de empresas, não trabalhar para elas. De fato, se ele não houvesse tido no curso secundário um orientador escolar sábio e persistente, poderia não ter continuado os estudos. Ele admite isso. Estava ansioso para começar a acumular seus ativos, mas finalmente concordou que uma educação superior também lhe seria útil.

Na verdade, as idéias deste livro são provavelmente muito extremas e radicais para a maioria dos pais. Alguns estão tendo dificuldades até para manter seus filhos na escola. Mas à luz de nossos tempos em transformação, como pais, precisamos estar abertos a idéias novas e ousadas. Incentivar filhos a ser empregados é aconselhar nossos filhos a pagar mais do que a justa parcela em impostos ao longo da vida, com pouca ou nenhuma esperança de uma aposentadoria. De fato, a maioria das famílias trabalha de janeiro a meados de maio para o governo, apenas para cobrir seus impostos. São necessárias novas idéias e este livro as oferece.

Robert afirma que os ricos educam seus filhos de forma diferente. Eles ensinam aos filhos em casa, em volta da mesa de jantar. Essas idéias podem não ser aquelas que você escolheria para discutir com seus filhos, mas obrigada por olhar para elas. E eu o aconselho a continuar buscando. Em minha opinião, como mãe e auditora independente, o conceito de simplesmente ter boas notas e achar um bom emprego é uma idéia velha. Precisamos de novas idéias e de uma educação diferente. Talvez falar para seus filhos sobre lutar para serem bons funcionários e criarem sua própria empresa de investimentos não seja uma idéia tão má.

Espero como mãe que este livro auxilie outros pais. Robert espera poder informar a outras pessoas que qualquer um pode alcançar a prosperidade se decidir fazê-lo. Se você for um jardineiro ou um porteiro ou até um desempregado, você tem a capacidade de instruir-se e de ensinar a quem você ama a cuidar de si próprio financeiramente. Lembre que a inteligência financeira é o processo mental pelo qual resolvemos nossos problemas financeiros.

Hoje estamos enfrentando mudanças globais e tecnológicas iguais ou até maiores que as ocorridas anteriormente. Ninguém tem uma bola de cristal, mas um fato é certo: à nossa frente descortinam-se mudanças que estão além de nossa realidade. Quem sabe o que o futuro nos trará? Mas aconteça o que acontecer, temos duas escolhas fundamentais: a segurança ou a inteligência, preparando-nos, instruindo-nos e despertando nosso gênio financeiro e o de nossas crianças.

– *SHARON LECHTER*

Capítulo Um

Pai rico, Pai pobre

por Robert Kiyosaki

Tive dois pais, um rico e outro pobre. Um era muito instruído e inteligente; tinha o Ph.D. e fizera um curso universitário de graduação, com duração de quatro anos, em menos de dois. Foi então para a Universidade de Stanford, para a Universidade de Chicago e para a Northwestern University, sempre com bolsa de estudos. O outro pai nunca concluiu o segundo grau.

Ambos foram homens bem-sucedidos em suas carreiras e trabalharam arduamente durante toda a vida. Ambos auferiam rendas consideráveis. Contudo, um sempre enfrentou dificuldades financeiras. O outro se tornou o homem mais rico do Havaí. Um morreu deixando milhões de dólares para sua família, para instituições de caridade e para sua igreja. O outro deixou contas a pagar.

Ambos eram homens fortes, carismáticos e influentes. Ambos me ofereceram conselhos, mas não aconselharam as mesmas coisas. Ambos acreditavam firmemente na instrução mas não sugeriram os mesmos estudos.

Se eu tivesse tido um único pai, teria tido que aceitar ou rejeitar seus conselhos. Tendo dois, tive a escolha entre pontos de vista contrastantes; a visão de um homem rico e a visão de um homem pobre.

Em vez de aceitar ou rejeitar simplesmente um desses pontos de vista, me descobri pensando mais, comparando-os e escolhendo por mim mesmo.

O problema é que o homem rico ainda não era rico e o homem pobre ainda não era pobre. Ambos estavam no início de suas carreiras e lutavam por dinheiro e família. Mas eles tinham idéias muito diferentes sobre o dinheiro.

Por exemplo, um dos pais dizia: “O amor ao dinheiro é a raiz de todo mal.” O outro: “A falta de dinheiro é a raiz de todo mal.”

Quando garoto, a influência de dois pais, ambos homens fortes, era uma situação complicada. Eu queria ser um bom filho e ouvia, mas os dois pais não falavam a mesma língua. O contraste entre suas idéias, especialmente no que se referia ao dinheiro, era tão extremo que eu ficava curioso e intrigado. Comecei a pensar profundamente sobre o que cada um deles dizia.

Muito do meu tempo era gasto refletindo, fazendo-me perguntas como "Por que ele fala isso?", a respeito das afirmações dos pais. Teria sido muito mais simples falar "Sim, ele está certo. Concordo com isso". Ou simplesmente rejeitar o ponto de vista dizendo "O velho não sabe do que está falando". Porém, tendo dois pais que eu amava, fui forçado a pensar e a escolher um dos caminhos por mim mesmo. Esse processo de escolher por mim mesmo se mostrou muito valioso no longo prazo, não se tratou simplesmente da aceitação ou da rejeição de um único ponto de vista.

Uma das razões pelas quais os ricos ficam mais ricos, os pobres, mais pobres e a classe média luta com as dívidas é que o assunto dinheiro não é ensinado nem em casa nem na escola. Muitos de nós aprendemos sobre o dinheiro com nossos pais. O que pode dizer um pai pobre a respeito do dinheiro para seu filho? Ele diz simplesmente: "Fique na escola e estude muito." O filho pode se formar com ótimas notas; mas com uma programação financeira e uma mentalidade de pessoa pobre. Isso foi aprendido pelo filho em sua tenra idade.

O dinheiro não é ensinado nas escolas. As escolas se concentram nas habilidades acadêmicas e profissionais mas não nas habilidades financeiras. Isso explica por que médicos, gerentes de banco e contadores inteligentes que tiveram ótimas notas quando estudantes terão problemas financeiros durante toda sua vida. Nossa impressionante dívida nacional se deve em boa medida a políticos e funcionários públicos muito instruídos que tomam decisões financeiras com pouco ou nenhum treinamento na área do dinheiro.

Muitas vezes penso no novo milênio e imagino o que acontecerá quando houver milhões de pessoas precisando de assistência financeira e médica. Eles se tornarão dependentes do apoio financeiro de suas famílias ou do governo. O que acontecerá quando o Medicare e a Seguridade Social ficarem sem dinheiro? Como uma nação sobreviverá se ensinar sobre dinheiro continuar sendo tarefa dos pais – cuja maioria será ou já é pobre?

Como tive dois pais a me influenciar, aprendi com ambos. Tive que refletir sobre os conselhos de cada um deles e ao fazê-lo percebi o poder e o impacto dos nossos pensamentos sobre nossa própria vida. Por exemplo, um pai costumava falar "Não dá para comprar isso". O outro proibia o uso dessas palavras. Insistia em que eu falasse: "O que posso fazer para comprar isso?" Num caso temos uma afirmação, no outro uma pergunta. Um deixa você sem alternativa, o outro obriga você a refletir. Meu pai-que-logo-ficaria-rico explicava que ao falar automaticamente "Não dá para comprar isso" seu cérebro pára de trabalhar. Ao perguntar "O que posso fazer para comprar isso?", você põe seu cérebro trabalhando. Ele não estava dizendo que comprasse tudo o que desejasse. Ele incentivava fanaticamente que exercitasse minha mente, o computador mais poderoso do mundo. "Meu cérebro fica mais forte a cada dia porque eu o exercito. Quanto mais forte fica, mais dinheiro ganho." Ele acreditava que repetir mecanicamente "Não dá para comprar isso" era um sinal de preguiça mental.

Embora ambos os pais trabalhassem com afinco, observei que um deles tinha o hábito de pôr seu cérebro a dormir quando o assunto era dinheiro e o outro tinha o costume de exercitar seu cérebro. O resultado era que, ao longo do tempo, um dos pais ficava mais forte financeiramente, e o outro enfraquecia. Isso não é muito diferente do que ocorre quando uma pessoa faz exercícios físicos regulares enquanto a outra senta no sofá e fica assistindo à televisão. O exercício físico adequado aumenta suas chances de ter boa saúde, e o exercício mental adequado aumenta suas chances de ficar rico. A preguiça reduz tanto a saúde quanto a riqueza.

Meus dois pais tinham atitudes mentais diferentes. Um acreditava que os ricos deviam pagar mais impostos para atender os menos afortunados. O outro dizia: "Os impostos punem os que produzem e recompensam os que não produzem."

Um dos pais recomendava: "Estude arduamente para poder trabalhar em uma boa empresa." O outro falava: "Estude arduamente para poder comprar uma boa empresa."

Um dos pais dizia: "Não sou rico porque tenho filhos." O outro: "Tenho que ser rico por causa de vocês, meus filhos."

Um incentivava as conversas sobre dinheiro e negócios na hora do jantar. O outro proibia que se falasse do assunto durante as refeições.

Um dizia: "Em questões de dinheiro seja cuidadoso, não se arrisque." O outro: "Aprenda a administrar o risco."

Um recomendava: "Nossa casa é nosso maior investimento e nosso maior patrimônio." O outro: "Minha casa é uma dívida e se sua casa for seu maior investimento, você terá problemas."

Ambos os pais pagavam suas contas no prazo, mas um deles pagava suas contas em primeiro lugar enquanto o outro as deixava para a última hora.

Um deles acreditava que a empresa ou o governo deveria cuidar de você e de suas necessidades. Estava sempre preocupado com aumentos salariais, planos de aposentadoria, benefícios médicos, licenças de saúde, férias e outros benefícios. Ele ficava impressionado com dois de seus tios que foram para o exército e se aposentaram com vários benefícios após vinte anos de serviço ativo. Ele adorava a idéia de assistência médica e serviços de reembolso de alimentos que os militares ofereciam a seus aposentados. Ele também se empolgava com as cátedras vitalícias do sistema universitário. A idéia de estabilidade no emprego e benefícios trabalhistas lhe parecia às vezes mais importante do que o próprio emprego. Dizia freqüentemente: "Trabalhei muito para o governo, mereço essas mordomias."

O outro pai acreditava na total auto-suficiência financeira. Ele sempre se manifestava contra a mentalidade dos "direitos" e falava que isso estava criando pessoas fracas e financeiramente necessitadas. Ele dava muita ênfase à competência financeira.

Um dos pais lutava para poupar alguns poucos dólares. O outro simplesmente criava investimentos.

Um pai me ensinou a escrever um currículo impressionante para que eu pudesse encontrar um bom emprego. O outro me ensinou a fazer sólidos planos financeiros e de negócios de modo que eu pudesse criar empregos.

Ter dois pais fortes me proporcionou o luxo de observar o impacto de diferentes formas de pensar sobre a própria vida. Observei que as pessoas moldam suas vidas por meio de seus pensamentos.

Por exemplo, meu pai pobre sempre me dizia: "Nunca vou ficar rico." E isso acabou acontecendo. Meu pai rico, por outro lado, sempre se referia a si próprio como sendo rico. Ele dizia coisas como: "Sou um homem rico e pessoas ricas não fazem isto." Mesmo que estivesse totalmente quebrado após um revés financeiro, ele continuava a se considerar um homem rico. Ele se justificava dizendo: "Há uma diferença entre ser pobre e estar quebrado. Estar quebrado é algo temporário, ser pobre é algo eterno."

Meu pai pobre dizia, "Não ligo para dinheiro" ou "O dinheiro não é importante." Meu pai rico sempre dizia, "Dinheiro é poder".

O poder de nossos pensamentos nunca poderá ser medido ou avaliado, mas desde jovem se tornou óbvio para mim a tomada de consciência de meus pensamentos e da forma como me expressava. Observei que meu pai pobre não era pobre por causa do dinheiro que ganhava, que era bastante, mas por causa de seus pensamentos e ações. Quando garoto, tendo dois pais, me tornei consciente de que deveria ser cuidadoso com os pensamentos que decidisse adotar como meus. A quem ouviria – a meu pai rico ou a meu pai pobre?

Embora ambos tivessem um enorme respeito pela educação e pelo aprendizado, eles discordavam quanto ao que era importante aprender. Um queria que eu estudasse arduamente, me formasse e conseguisse um bom emprego para trabalhar pelo dinheiro. Ele queria que eu estudasse para me tornar um profissional, um advogado ou um contador, ou que fosse a uma escola de negócios para obter um MBA. O outro me incentivava a estudar para ficar rico, para entender como funciona o dinheiro e para aprender como fazê-lo trabalhar para mim. "Não trabalho por dinheiro", costumava repetir uma e outra vez. "O dinheiro trabalha para mim."

Com nove anos de idade resolvi ouvir e aprender com meu pai rico tudo sobre dinheiro. Optei por não dar ouvidos a meu pai pobre, mesmo que fosse ele quem possuísse todos os títulos universitários.

Uma lição de Robert Frost

Robert Frost é meu poeta favorito. Embora goste de muitas de suas poesias, a minha preferida é *The Road Not Taken*. Quase todos os dias recorro a suas lições:

*The road not taken**

Two roads diverged in a yellow wood,
And sorry I could not travel both
And be one traveler, long I stood
And looked down one as far as I could
To where it bent in the undergrowth;

Then took the other, as just as fair,
And having perhaps the better claim,
Because it was grassy and wanted wear
Though as for that the passing there
Had worn them really about the same,
And both that morning equally lay
In leaves no step had trodden black.
Oh, I kept the first for another day!
Yet knowing how way leads onto way,
I doubted if I should ever come back.

I shall be telling this with a sigh
Somewhere ages and ages hence;
Two roads diverged in a wood, and I—
I took the one less traveled by,
And that has made all the difference.

Robert Frost, 1916

---

* *O caminho não escolhido*

Num bosque amarelo dois caminhos se separavam, / E lamentando não poder seguir os dois / E sendo apenas um viajante, fiquei muito tempo parado / E olhei para um deles tão distante quanto pude / Até onde se perdia na mata; / Então segui o outro, como sendo mais merecedor, / E tendo talvez melhor direito, / Porque coberto de mato e querendo uso / Embora os que por lá passaram / Os tenham realmente percorrido de igual forma, / E ambos ficaram essa manhã / Com folhas que passo nenhum pisou. / Oh, guardei o primeiro para outro dia! / Embora sabendo como um caminho leva para longe, / Duvidasse que algum dia voltasse novamente. / Direi isto suspirando / Em algum lugar, daqui a muito e muito tempo: / Dois caminhos se separaram em um bosque e eu... / Eu escolhi o menos percorrido / E isso fez toda a diferença. / *Robert Frost, 1916*

E isso fez toda a diferença.

No correr dos anos pensei muitas vezes no poema de Robert Frost. Ao escolher não dar atenção aos conselhos e atitudes quanto a dinheiro de meu pai muito instruído, tomei uma decisão dolorosa, mas foi uma decisão que determinou o resto de minha vida.

Com a decisão de quanto a quem dar ouvidos, teve início minha educação sobre dinheiro. Meu pai rico me deu lições ao longo de um período de trinta anos, até que cheguei aos 39 anos de idade. Suas lições pararam quando ele percebeu que eu conhecia e entendia plenamente o que ele estava tentando martelar na minha cabeça, às vezes, bastante dura.

O dinheiro é uma forma de poder. Mais poderosa ainda, entretanto, é a instrução financeira. O dinheiro vem e vai, mas se você tiver sido educado quanto ao funcionamento do dinheiro, você adquire poder sobre ele e pode começar a construir riqueza. O motivo pelo qual o simples pensamento positivo não funciona é porque a maioria das pessoas foi à escola e nunca aprendeu como o dinheiro funciona, e assim passam suas vidas trabalhando pelo dinheiro.

Como comecei com apenas nove anos, as lições que meu pai rico me ensinou foram simples. E quando tudo foi dito e tudo foi feito, encontramos apenas seis lições, repetidas ao longo de trinta anos. Este livro trata dessas seis lições, expostas da maneira mais simples possível, da forma como meu pai rico as passou para mim. Estas lições não pretendem ser respostas e sim marcos. Marcos que o ajudarão, a você e a seus filhos, a se tornar mais rico, não importa o que aconteça em um mundo de crescente mudança e incerteza.

Lição 1: Os ricos não trabalham pelo dinheiro

Lição 2: Para que alfabetização financeira?

Lição 3: Cuide de seus negócios

Lição 4: A história dos impostos e o poder da sociedade anônima

Lição 5: Os ricos inventam dinheiro

Lição 6: Trabalhe para aprender – não trabalhe pelo dinheiro

Capítulo Dois
Lição 1:
Os ricos não trabalham pelo dinheiro

– Pai, como é que a gente fica rico?

Meu pai largou o jornal.

– Por que você quer ficar rico, filho?

– Porque a mãe do Jimmy chegou hoje num Cadillac novo e eles iam passar o fim de semana na praia. Ele chamou três amiguinhos, mas o Mike e eu não fomos convidados. Eles disseram que não chamavam a gente porque éramos "garotos pobres".

– Falaram isso mesmo? – perguntou meu pai, incrédulo.

– Falaram mesmo – respondi magoado.

Meu pai balançou a cabeça em silêncio, ajeitou os óculos e voltou para a leitura do jornal. Fiquei esperando a resposta.

Era o ano de 1956. Eu tinha nove anos. Por algum golpe de sorte, eu freqüentava a mesma escola pública onde estudavam os filhos dos ricos. A cidade vivia especialmente em função das usinas de açúcar. Os gerentes das usinas e outras pessoas influentes da cidade, como médicos, proprietários de estabelecimentos comerciais e gerentes de bancos, matriculavam seus filhos nessa escola. Terminado o primeiro grau, estes iam em geral para colégios particulares. Eu fazia parte desta escola porque minha família morava num lado da rua. Se morasse do outro lado, eu teria ido para uma escola diferente e meus colegas seriam de famílias mais parecidas com a minha. Concluído o primeiro grau, estes garotos e eu faríamos o segundo grau também em escolas públicas. Não havia colégios particulares para eles ou para mim.

Meu pai finalmente largou o jornal. Senti que estava pensando.

– Filho – começou lentamente. – Se você quiser ficar rico, você tem que aprender a ganhar dinheiro.

– E como ganho dinheiro? – perguntei.

– Use sua cabeça, filho – respondeu sorrindo. O que na verdade queria dizer: "Isso é tudo o que vou lhe dizer" ou "Não sei a resposta, de modo que não me perturbe".

Forma-se uma parceria

Na manhã seguinte, contei para meu melhor amigo, Mike, o que meu pai tinha falado. Tenho a impressão de que Mike e eu éramos os únicos garotos pobres da escola. Também Mike estava nessa escola por um golpe de sorte. Alguém tinha traçado aleatoriamente a linha divisória dos distritos escolares e nós acabamos na escola dos garotos ricos. Não éramos pobres de verdade, mas sentíamos como se fôssemos porque os demais garotos tinham luvas de beisebol novas, bicicletas novas, tudo novo.

Mãe e pai nos davam o básico, comida, teto, roupa. Mas isso era tudo. Meu pai costumava falar: "Se você quiser alguma coisa, trabalhe para obtê-la." Queríamos muitas coisas, mas não havia muito trabalho disponível para garotos de nove anos.

– E então como ganhamos dinheiro? – perguntou Mike.

– Não sei – respondi. – Mas você quer ser meu sócio?

Ele concordou e, naquele sábado de manhã, Mike se tornou meu primeiro sócio nos negócios. Gastamos toda a manhã imaginando formas de ganhar dinheiro. De vez em quando falávamos dos "caras legais" que estavam se divertindo na casa de praia de Jimmy. Sentíamos uma certa mágoa, mas era uma mágoa boa, pois nos inspirou a ficar pensando em como ganhar dinheiro. Finalmente, nessa tarde, um lampejo surgiu em nossas mentes. Era uma idéia que Mike havia tirado de um livro de ciências que lera. Empolgados, demos um aperto de mão e a sociedade agora tinha um objetivo.

Durante as semanas seguintes, Mike e eu percorremos a vizinhança pedindo aos vizinhos que guardassem para nós os tubos vazios de pasta de dentes. Intrigados, muitos adultos concordavam sorrindo. Alguns perguntavam o que estávamos fazendo. Respondíamos: "Não dá para contar, é um segredo de negócios."

Conforme as semanas passavam, mamãe ficava nervosa. Tínhamos escolhido um lugar perto da máquina de lavar roupas para estocar nossa matéria-prima. Numa caixa de papelão, que contivera vidros de molho de tomate, acumulava-se nossa pilha de tubos de pasta de dentes usados.

Finalmente, mamãe deu uma bronca. Não agüentava mais ver aquele monte de tubos espremidos na maior confusão.

– O que vocês estão fazendo, garotos? – perguntou. – E não me venham novamente com a desculpa de que é um segredo de negócios. Dêem um jeito nesta bagunça ou jogo tudo fora.

Mike e eu argumentamos, explicamos que em breve teríamos o suficiente para começar a produção. Dissemos que estávamos esperando que alguns vizinhos acabassem de usar suas pastas para que pudéssemos recolher os tubos. Mamãe nos deu uma semana de prazo.

Antecipamos a data do início da produção. A pressão aumentava. Minha primeira sociedade já estava sendo ameaçada por uma notificação de despejo do nosso armazém, feita por minha própria mãe. Mike se encarregou de apressar o consumo das pastas, informando que os dentistas recomendavam escovação mais freqüente dos dentes. Comecei a instalar a linha de produção.

Um dia meu pai chegou em casa com um amigo para mostrar como "os garotos" operavam a linha de produção a todo vapor, perto da garagem. Por todo o lugar havia uma fina poeira branca. Numa mesa comprida se alinhavam embalagens de leite trazidas da escola e no forno japonês da família as brasas do carvão brilhavam gerando o máximo de calor.

Papai caminhava com cuidado, o carro fora estacionado próximo ao portão da rua porque a linha de produção estava na frente da porta da garagem. Quando ele e seu amigo se aproximaram, viram uma vasilha de aço em cima das brasas, e dentro dela os tubos de pasta de dentes derretiam. Naquela época não havia tubos de pasta de dentes de plástico, eles eram de chumbo. Por isso, depois que a pintura queimava, os tubos dentro da vasilha derretiam até ficarem líquidos. Com a ajuda do pegador de panela da mamãe, nós despejávamos o chumbo derretido através de um pequeno furo nas embalagens de leite, que estavam recheadas de gesso.

O pó branco do gesso que ainda não fora misturado à água estava por toda parte. Com a pressa tínhamos derrubado o saco de gesso e parecia que toda a área fora atingida por uma nevasca. As embalagens de leite vazias serviam para fazer moldes de gesso. Meu pai e seu amigo nos observavam enquanto vertíamos o chumbo derretido num pequeno buraco no topo de um cubo de gesso.

– Cuidado – disse meu pai.

Fiz que sim com a cabeça, sem olhar para cima.

Quando terminei de colocar o chumbo derretido, larguei a vasilha e sorri para meu pai.

– O que vocês estão fazendo? – perguntou com um sorriso cauteloso.

– Estamos fazendo o que você me mandou fazer. Estamos nos tornando ricos – respondi.

– Somos sócios – disse Mike sorrindo e balançando a cabeça.

– E o que há nesses moldes de gesso? – perguntou papai.

– Veja – falei. – Esta vai ser uma boa fornada.

Com um pequeno martelo, bati no selo que dividia o cubo em dois. Com cuidado, puxei a parte de cima do molde de gesso e uma moedinha de chumbo caiu.

– Minha nossa! – falou papai. – Vocês estão cunhando moedinhas de chumbo!

– Certo – falou Mike. – Estamos fazendo o que o senhor disse. Estamos fazendo* dinheiro.

O amigo de meu pai se virou e caiu na gargalhada. Meu pai sorriu e balançou a cabeça. À sua frente estavam, além do fogo e da caixa de tubos de pasta de dentes vazios, dois garotos cobertos por uma poeira branca rindo de orelha a orelha.

Meu pai pediu que largássemos tudo e nos sentássemos com ele no degrau da frente de casa. Sorrindo nos explicou carinhosamente o que significava a palavra "falsificação".

Nossos sonhos estavam desfeitos.

– Você quer dizer que isto é ilegal? – perguntou Mike com um soluço na voz.

– Deixe eles – disse o amigo do meu pai. – Eles podem estar desenvolvendo um talento natural.

Meu pai olhou para ele, furioso.

– Sim, é ilegal – falou papai calmamente. – Mas vocês demonstraram muita criatividade e idéias originais. Continuem, estou orgulhoso de vocês!

Desapontados, Mike e eu ficamos sentados uns vinte minutos antes de começarmos a arrumar a bagunça. O negócio fora encerrado no próprio dia da inauguração. Varrendo a poeira, olhei para Mike e falei:

– Acho que Jimmy e os amigos dele estavam certos. Somos pobres.

Quando falei isso meu pai já estava saindo.

– Garotos – falou –, vocês só serão pobres se desistirem. O mais importante é que fizeram alguma coisa. Muitas pessoas falam e sonham em ficar ricas. Vocês fizeram alguma coisa. Estou muito orgulhoso de vocês. Repito. Continuem. Não desistam.

Mike e eu ficamos quietos, calados. Eram palavras simpáticas, mas nós ainda não sabíamos o que fazer.

– Então por que você não é rico, papai? – perguntei.

– Porque resolvi ser professor. Os professores não estão muito preocupados em ficar ricos. Nós gostamos de ensinar. Gostaria de poder ajudar vocês, mas na verdade não sei como ganhar dinheiro.

* Em inglês usa-se a mesma expressão para significar fazer e ganhar dinheiro, *make money*. (N. T.)

Mike e eu voltamos à arrumação.

– É – falou meu pai –, se vocês querem aprender como enriquecer, não perguntem para mim. Falem com seu pai, Mike.

– Meu pai? – perguntou Mike surpreso.

– Sim, seu pai – repetiu papai com um sorriso. – Seu pai e eu temos conta no mesmo banco e o gerente está encantado com seu pai. Ele me disse várias vezes que seu pai é brilhante quando se trata de ganhar dinheiro.

– Meu pai? – repetiu Mike, incrédulo. – Então por que não temos uma casa bonita, um carrão como os garotos ricos da escola?

– Um carrão e uma casa bonita não querem necessariamente dizer que você é rico ou que tem muito dinheiro – respondeu papai. – O pai do Jimmy trabalha na usina. Ele não é muito diferente de mim. Ele trabalha para uma empresa e eu trabalho para o governo. A empresa compra o carro para ele. Se a usina tiver problemas financeiros, o pai do Jimmy pode acabar sem nada. Seu pai é diferente, Mike. Ele parece estar construindo um império e desconfio que em alguns anos ele será um homem muito rico.

Ao ouvir isso, Mike e eu nos empolgamos novamente. Mais dispostos, limpamos a confusão provocada por nosso defunto negócio. Enquanto limpávamos, fazíamos planos sobre quando e onde falar com o pai de Mike. O problema é que o pai de Mike trabalhava muito e, às vezes, chegava muito tarde em casa. Ele era dono de armazéns, de uma empresa de construção, de uma cadeia de lojas e de três restaurantes. Eram os restaurantes que o faziam voltar para casa tarde.

Acabada a limpeza, Mike se despediu. Ele iria falar com seu pai à noite e perguntar se este queria nos ensinar a ficar ricos. Mike prometeu me ligar assim que tivesse uma resposta, mesmo que fosse tarde.

Às 20:30 tocou o telefone.

– OK – falei. – Sábado que vem – e desliguei. O pai de Mike concordara em conversar conosco.

Às 7:30 de sábado, peguei o ônibus para o lado pobre da cidade.

Começam as lições

"Vou pagar a vocês 10 centavos por hora".

Mesmo pelos padrões de remuneração vigentes em 1956, era pouco.

Michael e eu encontramos seu pai às 8:00 daquela manhã. Ele estava ocupado e trabalhando há mais de uma hora. Seu supervisor de construções já estava saindo na caminhonete quando entrei naquele lar simples, pequeno, arrumado. Mike me esperava na porta.

– Papai está no telefone, e ele falou para esperar na varanda dos fundos – disse Mike ao abrir a porta.

O antigo assoalho de madeira chiou quando passei pela soleira da velha casa. Do lado de fora havia um capacho simples escondendo os muitos anos de uso e os incontáveis passos que suportara. Apesar de limpo, precisava ser substituído.

Quando entrei na sala estreita senti claustrofobia. O cômodo estava mobiliado com móveis que hoje seriam objeto de colecionadores. Duas mulheres estavam sentadas no sofá, eram um pouco mais velhas do que a minha mãe. Em frente às mulheres estava um homem em trajes de trabalhador. Ele vestia calça e camisa cáquis, bem passados mas não engomados, e calçava botas de trabalho bem engraxadas. Deveria ser uns dez anos mais velho que papai; diria que tinha uns 45 anos. Eles sorriram quando Mike e eu passamos em direção à cozinha, de onde se saía para um pátio nos fundos. Timidamente devolvi o sorriso.

– Quem são eles? – perguntei.

– Ah, eles trabalham para papai. O mais velho dirige seus armazéns e as mulheres são gerentes dos restaurantes. E você já viu o supervisor das construções, que está trabalhando em um projeto rodoviário, a uns 80 quilômetros daqui. O outro supervisor, que cuida da construção das casas, saiu antes de você chegar.

– Isso acontece o tempo todo? – perguntei.

– Nem sempre mas muitas vezes – disse Mike sorrindo enquanto puxava uma cadeira para sentar perto de mim.

– Perguntei ao papai se ele vai nos ensinar a ganhar dinheiro – disse Mike.

– E o que ele respondeu? – perguntei com cautelosa curiosidade.

– Bom, primeiro me encarou com uma expressão engraçada, e então falou que iria nos fazer uma oferta.

– Oh – respondi balançado a cadeira para trás em direção à parede; a cadeira em que sentava se sustentava nos pés de trás.

Mike fazia o mesmo.

– Você sabe o que ele vai nos oferecer? – perguntei.

– Não, mas a gente já vai descobrir.

De repente o pai de Mike passou pela porta de tela e pisou no alpendre. Mike e eu pulamos, ficando em pé não por respeito mas pelo susto que levamos.

– Prontos garotos? – perguntou o pai de Mike, puxando uma cadeira para sentar perto de nós.

Fizemos que sim com a cabeça e aproximamos as cadeiras.

Ele era um homem grande, com cerca de 1,80 metro e 100 quilos. Meu pai era mais alto, pesava mais ou menos o mesmo e era cinco anos mais velho que o pai de Mike. Eles eram de certo modo parecidos, embora de origens étnicas diferentes. Talvez tivessem energias semelhantes.

– Mike falou que você quer aprender a ganhar dinheiro? É isso mesmo, Robert?

Rapidamente assenti com a cabeça, não sem uma pequena sensação de intimidação. Senti muito poder por trás de suas palavras e de seu sorriso.

– Muito bem, eis a minha oferta. Vou ensinar a vocês, mas não como em uma sala de aula. Vocês trabalham para mim, eu ensino a vocês. Vocês não trabalham para mim, eu não ensino a vocês. Posso ensinar mais rápido se trabalharem, e não fico perdendo tempo se só ficarem sentados escutando, como fazem na escola. Esta é minha oferta. É pegar ou largar.

– Posso fazer uma pergunta ... antes? – falei.

– Não. É pegar ou largar. Tenho trabalho demais para perder tempo. De qualquer modo, se você não puder se decidir logo, não vai aprender nunca a ganhar dinheiro. As oportunidades vêm e vão. Ser capaz de tomar decisões rápidas é uma habilidade importante. Você tem uma oportunidade que pediu. As aulas começam em dez segundos – respondeu o pai de Mike com um sorriso incentivador.

– Topo – respondi.

– Topo – respondeu Mike.

– Bom – falou o pai de Mike –, a senhora Martin vai chegar daqui a dez minutos. Depois que eu conversar com ela, vocês a acompanham até minha lojinha e já podem começar. Vou lhes pagar 10 centavos por hora e vocês terão que trabalhar três horas todo sábado.

– Mas hoje tenho jogo de beisebol – falei.

O pai de Mike abaixou a voz e falou com seriedade.

– É pegar ou largar – disse.

– Topo – respondi, decidindo trabalhar em lugar de jogar beisebol.

30 centavos depois

Às 9:00 de uma bela manhã de sábado, Mike e eu estávamos trabalhando para a senhora Martin. Ela era uma mulher bondosa e paciente. Sempre dizia que eu e Mike a lembrávamos de seus dois filhos que já estavam crescidos e não moravam com ela. Apesar de bondosa, ela acreditava no trabalho árduo e nos fazia trabalhar. Era uma chefe rigorosa. Passávamos três horas pegando latas das prateleiras e espanando-as para depois recolocá-las no lugar. Era uma tarefa incrivelmente monótona.

O pai de Mike, que eu chamo de meu pai rico, era dono de nove dessas lojinhas com amplos estacionamentos. Eram as primeiras versões das lojas de conveniência. Nesses pequenos armazéns de bairro as pessoas compravam artigos como leite, pão, manteiga e cigarros. O problema é que no Havaí, e isto aconteceu antes do ar-condicionado, não se podia fechar a porta das lojas por causa do calor. Nestas havia duas amplas portas que davam para a rua e para o estacionamento. Cada vez que um carro passava ou estacionava, levantava poeira que se acumulava nas prateleiras.

Portanto, tínhamos um emprego que duraria enquanto não houvesse ar-condicionado.

Durante três semanas Mike e eu comparecemos aos sábados à loja da senhora Martin e trabalhamos durante três horas. Ao meio-dia terminava nosso trabalho e ela nos dava três pratinhas de 10 centavos. Mas nem aos nove anos, em meados da década de 1950, 30 centavos eram algo muito empolgante. Na época um gibi custava 10 centavos, de modo que em geral eu gastava meu dinheiro com revistas em quadrinhos e voltava para casa.

Na quarta-feira da quarta semana, eu já estava a fim de largar. Tinha concordado em trabalhar só porque eu queria aprender a ganhar dinheiro com o pai do Mike, mas agora era um escravo por 10 centavos a hora. E, ainda por cima, não tinha voltado a ver o pai do Mike desde aquele sábado.

– Desisto – falei para Mike na hora do almoço. O almoço da escola era horrível. A escola era monótona e agora já nem podia esperar pelos sábados. Mas o que estava me perturbando eram os 30 centavos.

Desta vez Mike sorriu.

– De que é que você está rindo? – perguntei zangado e frustrado.

– Papai falou que isso ia acontecer. Ele disse para você procurá-lo quando estivesse a fim de largar.

– O quê? – disse indignado. – Ele está esperando que eu fique saturado?

– Por aí – falou Mike. – O papai é meio diferente, ele ensina de modo diferente do seu pai. Seu pai e sua mãe falam muito. Meu pai é tranqüilo e caladão. Espere até sábado. Vou falar para ele que você está a fim de largar.

– Você está dizendo que eu fui enrolado?

– Não, não é isso, mas pode ser. Papai vai explicar no sábado.

Fazendo fila no sábado

Estava pronto e preparado para enfrentá-lo. Até meu pai de verdade estava furioso com ele. Meu verdadeiro pai, aquele que chamo de pai pobre, pensou que meu pai rico estava infringindo a legislação sobre trabalho de menores e deveria ser investigado.

Meu instruído pai pobre me falou que eu deveria exigir o que merecia. Pelo menos 25 centavos por hora. Falou ainda que se não conseguisse o aumento deveria me demitir imediatamente.

– De qualquer maneira você não precisa dessa droga de emprego – falou meu pai pobre indignado.

Às 8:00 da manhã de sábado eu estava entrando pela velha porta da casa de Mike.

– Sente e espere na fila — falou o pai do Mike quando entrei. Ele então se virou e foi para o pequeno escritório que ficava junto de um quarto de dormir.

Olhei em volta e não vi Mike em lugar algum. Achando tudo meio esquisito, sentei perto daquelas duas mulheres, as mesmas que lá estavam três semanas antes. Elas sorriram e me deram um lugar no sofá.

Passaram-se 45 minutos e eu estava possesso. As duas mulheres já tinham falado com ele e saído há meia hora. Um senhor mais velho ficou lá vinte minutos e foi embora.

A casa estava vazia e eu sentado na sala antiquada, escura, numa bela manhã do Havaí, esperando para falar com um avarento explorador de menores. Podia ouvi-lo se movimentando no escritório, falando ao telefone e me ignorando. Queria sair dali, mas por alguma razão fiquei.

Finalmente, quinze minutos depois, exatamente às 9:00, o pai rico apareceu sem dizer palavra e me fez sinal com a mão para entrar no modesto escritório.

– Parece que você está querendo um aumento ou vai largar – falou pai rico rodando a cadeira giratória.

– Bem, o senhor não está cumprindo sua parte do acordo – falei quase em prantos. Para um garoto de nove anos era de fato apavorante confrontar um adulto. – O senhor falou que, se eu trabalhasse para o senhor, o senhor ia me ensinar. Eu trabalhei. Dei duro. Larguei meus jogos de beisebol para trabalhar. E o senhor não cumpriu sua palavra. Não me ensinou nada. O senhor é um desonesto, como todo o mundo fala. O senhor é ganancioso. O senhor só quer todo o dinheiro e não se preocupa com seus empregados. O senhor me deixou esperando e não me respeita. Eu sou apenas um garoto e mereço ser tratado melhor.

De sua cadeira giratória, as mãos no queixo, o pai rico me fitava. Parecia que estava me estudando.

– É, nada mau – falou. – Em menos de um mês você já se parece com a maioria dos meus empregados.

– O quê? – exclamei. Como não entendia o que ele estava falando continuei reclamando. – Pensei que o senhor ia cumprir sua parte do acordo e me ensinar. Em lugar disso o senhor quer me torturar? Isso é cruel. Muito cruel.

– Estou lhe ensinando – falou calmamente o pai rico.

– O que o senhor me ensinou? Nada! – repliquei furioso. – Nem falou comigo depois que eu aceitei trabalhar por uma merreca. Dez centavos por hora. Eu devia denunciar o senhor ao governo. Existem leis sobre o trabalho infantil, o senhor sabe disso. Meu pai trabalha para o governo.

– Uau! – disse pai rico. – Agora você parece com a maioria das pessoas que trabalharam para mim. Pessoas que eu mandei embora ou que se demitiram.

– O que o senhor tem a me dizer? – questionei, sentindo-me muito corajoso para um moleque. – O senhor mentiu para mim. Trabalhei e o senhor não manteve sua palavra. Não me ensinou nada.

– E como você sabe que não lhe ensinei nada? – perguntou calmamente pai rico.

– Bom, o senhor nunca falou comigo. Trabalhei três semanas e o senhor não me ensinou nada – disse com cara de zangado.

– Ensinar quer dizer falar ou dar uma aula? – perguntou pai rico.

– Sim, lógico – respondi.

– É assim que a escola ensina – ele disse sorrindo. – Mas não é assim que a vida ensina você e eu diria que a vida é o melhor dos mestres. Na maioria das vezes a vida não fala com você. É mais como se ela lhe desse um empurrão. Cada empurrão é a vida dizendo "Acorde. Quero que aprenda alguma coisa".

"Do que este cara está falando?", pensei com meus botões. "A vida me empurrando era a vida falando comigo?" Agora tinha certeza de que deveria largar o emprego. Eu estava falando com alguém que não regulava bem.

– Se você aprender as lições da vida, você vai se dar bem. Se não, a vida vai continuar dando trancos em você. Alguns apenas deixam a vida continuar batendo neles. Outros ficam zangados e batem de volta. Mas eles batem no patrão ou no emprego, no marido ou na mulher. Eles não sabem que é a vida que está batendo.

Eu não tinha a menor idéia do que ele estava falando.

– A vida bate em todos nós. Alguns desistem. Outros lutam. Alguns aprendem a lição e seguem em frente. Eles recebem satisfeitos os trancos da vida. Para estes, isso quer dizer que precisam e querem aprender alguma coisa. Eles aprendem e prosseguem em frente. A maioria desiste e uns poucos, como você, lutam.

Pai rico ficou em pé e fechou a velha janela de madeira que precisava de conserto. Continuou:

– Se você aprender esta lição, você se tornará um jovem sábio, rico e feliz. Se você não aprender, passará a vida culpando um emprego, um baixo salário ou seu chefe pelos seus problemas. Passará sua vida esperando por um golpe de sorte que resolva seus problemas de dinheiro.

Pai rico olhou para mim a fim de verificar se eu ainda estava ouvindo. Seus olhos encontraram os meus. Estabeleceu-se uma comunicação entre nossos olhares. Finalmente, me afastei ao perceber que tinha assimilado esta última mensagem. Sabia que ele estava certo. Eu o estava culpando e eu tinha pedido para aprender. Eu estava lutando.

Pai rico continuou:

– Se for o tipo de pessoa que não tem garra, desistirá toda vez que a vida bater em você. Se for uma pessoa assim, passará sua vida buscando segurança, fazendo as coisas certas, esperando por algo que nunca vai acontecer. E, então, morrerá como um velho rabugento. Terá um monte de amigos que gostam de você, porque é um cara trabalhador. Você passa a vida na rotina, fazendo as coisas certas. Mas a verdade é que a vida o leva à submissão. No fundo, no fundo, você tem pavor de se arriscar. Queria, na verdade, vencer, mas o medo de perder é maior do que o entusiasmo da vitória. No íntimo, só você saberá que não foi atrás disso. Você escolheu a segurança.

Nossos olhos voltaram a se encontrar. Por dez segundos ficamos nos encarando e só depois que a mensagem foi recebida nossos olhos se afastaram.

– O senhor estava "me empurrando"? – perguntei.

– Algumas pessoas achariam isso – sorriu pai rico. – Eu diria que apenas lhe mostrei o gostinho da vida.

– Que gostinho da vida? – respondi ainda zangado, mas agora curioso. Pronto, até, para aprender.

– Vocês dois, garotos, foram as primeiras pessoas na vida que me pediram para lhes ensinar a ganhar dinheiro. Tenho mais de 150 empregados e nenhum deles me perguntou o que eu sei sobre dinheiro. Eles me pedem um emprego e um salário, mas nunca que lhes ensine sobre o dinheiro. De modo que a maioria deles passará os melhores anos de suas vidas trabalhando pelo dinheiro, sem entender realmente para que é que eles estão trabalhando.

Eu estava ouvindo atentamente.

– Assim, quando Mike falou que você queria aprender como ganhar dinheiro, resolvi planejar um curso que se aproximasse da vida real. Eu poderia falar horas, mas você não escutaria nada. Portanto resolvi deixar que a vida batesse um pouco em você para que pudesse me escutar. É por isso que só pago 10 centavos.

– E qual é a lição que aprendi trabalhando por apenas 10 centavos a hora? – perguntei. – Que você é mesquinho e explora seus empregados?

Pai rico se inclinou para trás e soltou uma gargalhada. Finalmente, quando parou de rir, falou:

– É melhor que você mude seu ponto de vista. Pare de culpar-me pensando que eu sou o problema. Se você pensa que eu sou o problema, então terá que me modificar. Se perceber que você é o problema, então poderá modificar a si mesmo, aprender alguma coisa e tornar-se mais sábio. A maioria das pessoas quer que todos no mundo mudem, menos elas próprias. Mas eu lhe digo: é mais fácil mudar a si próprio que a todos os demais.

– Não entendo – falei.

– Não me culpe por seus problemas – falou pai rico dando sinais de impaciência.

– Mas o senhor só me paga 10 centavos.

– E então, o que você está aprendendo? – perguntou pai rico com um sorriso.

– Que o senhor é mesquinho – respondi com uma risadinha.

– Está vendo, você acha que eu sou o problema – retrucou pai rico.

– Mas o senhor é.

– Bem, continue assim e você não aprenderá nada. Pense que sou o problema, então quais são suas escolhas?

– Bem, se o senhor não me pagar mais ou não me respeitar mais e me ensinar, eu largo tudo.

– Muito bem – disse pai rico. – E isso é exatamente o que faz a maioria das pessoas. Elas se demitem e começam a procurar outro emprego, uma oportunidade melhor e um salário mais alto, pensando que um novo emprego ou um salário mais alto resolverão o problema. Não é o que acontece na maioria dos casos.

– Então, o que resolve o problema? – perguntei. – Pegar esses miseráveis 10 centavos por hora e sorrir?

Pai rico sorriu:

– Isso é o que fazem as outras pessoas. Apenas aceitam o pagamento sabendo que eles e suas famílias lutarão com dificuldades financeiras. Mas é tudo o que fazem, esperando um aumento na ilusão de que mais dinheiro resolverá o problema. A maioria se conforma e alguns procuram um segundo emprego, trabalhando mais, mas continuam aceitando um contracheque ínfimo.

Fiquei olhando para o chão, começando a entender a lição que pai rico estava apresentando. Podia sentir que tinha um gosto de vida. Finalmente, olhei para cima e repeti a pergunta:

– Então, o que é que resolve o problema?

– Isto – disse ele dando-me um ligeiro tapinha na cabeça. – Essa coisa que está entre suas orelhas.

Foi nesse momento que pai rico me mostrou o ponto de vista central que o separava de seus empregados e de meu pai pobre – e que mais tarde o levou a tornar-se um dos homens mais ricos do Havaí, enquanto meu pai, muito instruído mas pobre, lutou com problemas financeiros durante toda sua vida. Era um ponto de vista singular que fez toda a diferença durante uma vida inteira.

Pai rico repetia de vez em quando esse ponto de vista que eu chamo a Lição 1.

"Os pobres e a classe média trabalham pelo dinheiro. Os ricos fazem o dinheiro trabalhar para eles."

Naquela bela manhã de sábado eu estava aprendendo um ponto de vista diferente daquele que meu pai pobre me ensinara. Aos nove anos de idade eu percebia que ambos os pais queriam que eu aprendesse. Ambos me incentivavam a estudar... mas não as mesmas coisas.

Meu pai muito instruído recomendava que fizesse o que ele fizera: "Filho quero que você estude muito, que tenha boas notas, para que você possa conseguir um bom emprego, seguro, em uma grande empresa, que lhe traga grandes benefícios". Meu pai rico queria que eu aprendesse como funciona o dinheiro para que eu pudesse colocá-lo a trabalhar para mim. Essas lições eu aprenderia ao longo da vida, sob sua orientação e não na sala de aula.

Meu pai rico continuou a primeira lição:

– Fico contente em ver que você se enfureceu por trabalhar por 10 centavos a hora. Se não tivesse se zangado e tivesse aceitado isso satisfeito, teria que lhe dizer que não poderia ensinar nada. Veja, aprender de verdade exige energia, paixão e um desejo ardente. A raiva é uma grande parte desta fórmula, pois a paixão é uma combinação de raiva e amor. No caso do dinheiro, a maioria das pessoas prefere não arriscar e se sentir seguras. Ou seja, não são conduzidas pela paixão, são conduzidas pelo medo.

– É por isso que elas aceitam um emprego com salário baixo? – perguntei.

– Sim – respondeu pai rico. – Algumas pessoas dizem que eu exploro os empregados porque não pago tanto quanto a usina de açúcar ou o governo. Eu digo que as pessoas se exploram a elas mesmas. O medo é delas, não meu.

– Mas o senhor não acha que deveria pagar mais para elas? – indaguei.

– Não tenho que fazê-lo. E, além disso, mais dinheiro não vai resolver o problema. Veja seu pai. Ele ganha bastante dinheiro e ainda assim não dá conta das despesas. A maioria das pessoas, se receber mais dinheiro, apenas passará a se endividar mais.

– Daí os 10 centavos por hora – eu disse rindo. – É parte da lição.

– Certo – sorriu pai rico. – Você vê, seu pai estudou muito de modo que conseguiu um salário alto. Mas ele ainda tem problemas financeiros porque nunca aprendeu nada sobre dinheiro na escola. E ainda por cima, ele acredita em trabalhar pelo dinheiro.

– E o senhor não acredita? – perguntei.

– Não, de verdade não – disse pai rico. – Se você quiser aprender a trabalhar pelo dinheiro então fique na escola. É um bom lugar para aprender isso. Mas se você quer aprender como fazer o dinheiro trabalhar para você, então vou lhe ensinar como fazer. Mas só se você quiser aprender.

– E todo o mundo não quer aprender isso? – indaguei.

– Não – respondeu pai rico. – Simplesmente porque é mais fácil aprender a trabalhar pelo dinheiro, em especial se o medo é a principal emoção quando se trata de discutir dinheiro.

– Não estou entendendo – retruquei franzindo as sobrancelhas.

– Não se preocupe com isso, por enquanto. Saiba apenas que é o medo que faz a maioria das pessoas trabalhar num emprego. O medo de não pagar as contas. O medo de ser mandado embora. O medo de não ter dinheiro suficiente. O medo de começar de novo. Esse é o preço de aprender uma profissão ou habilidade e então trabalhar pelo dinheiro. A maioria das pessoas se torna escrava do dinheiro... e fica zangada com o patrão.

– Aprender a pôr o dinheiro a trabalhar para a gente é um tipo de estudo totalmente diferente? – perguntei.

– Sem dúvida, sem dúvida – respondeu pai rico.

Ficamos sentados em silêncio contemplando a bela manhã. Meus amigos deviam estar começando seu jogo de beisebol infantil. E, por alguma razão, agora eu estava feliz de ter decidido trabalhar por 10 centavos a hora. Sentia que estava a ponto de aprender alguma coisa que meus colegas não aprenderiam na escola.

– Pronto para aprender? – perguntou pai rico.

– Sem dúvida – respondi com um risinho.

– Estou cumprindo minha promessa. Estive ensinando a você de longe – falou pai rico. – Aos nove anos de idade você teve um gostinho do que é trabalhar pelo dinheiro. Multiplique seu mês passado por quinze anos e você terá uma idéia do que muitas pessoas passam a vida fazendo.

– Não entendo – falei.

– Como você se sentiu esperando na fila para falar comigo? Uma vez para ser contratado e outra para pedir um aumento?

– Péssimo – disse.

– Quando se opta por trabalhar pelo dinheiro, essa é a vida que levam muitas pessoas – disse pai rico. – E como se sentiu quando a senhora Martin pôs na sua mão 30 centavos por três horas de trabalho?

– Achei que não era suficiente. Parecia que não valia nada. Fiquei desapontado – respondi.

– É assim que a maioria dos empregados se sente quando recebe seus contracheques. Especialmente com todos os descontos de impostos e outros itens. Pelo menos você recebeu 100%.

– O senhor está dizendo que a maioria dos empregados não recebe tudo? – perguntei espantado.

– Claro que não! – disse pai rico. – O governo sempre tira sua parte antes.

– E como é que ele faz? – perguntei.

– Impostos – disse pai rico. – Você paga impostos quando ganha. Você paga impostos quando gasta. Você paga impostos quando poupa. Você paga impostos quando morre.

– Por que é que as pessoas deixam que o governo faça isso com elas?

– Os ricos não deixam – disse pai rico com um sorriso. – Os pobres e a classe média deixam. Aposto que ganho mais que seu pai e contudo ele paga mais impostos.

– E como pode ser? – perguntei. Aos nove anos de idade isso não fazia sentido para mim. – Por que alguém deixaria o governo fazer isso com ele?

Pai rico ficou sentado em silêncio. Acho que ele queria que eu ouvisse, em lugar de ficar falando besteira.

Finalmente me acalmei. Não tinha gostado do que ouvira. Sabia que meu pai vivia reclamando dos impostos que pagava, mas na verdade não tomava nenhuma atitude quanto a isso. A vida estaria batendo nele?

Pai rico se balançava em sua cadeira tranqüilamente enquanto olhava para mim.

– Pronto para aprender? – perguntou.

Fiz que sim com a cabeça, lentamente.

– Como já falei, há muito a aprender. E aprender como se faz o dinheiro trabalhar para a gente é estudo para uma vida inteira. A maioria das pessoas fica quatro anos numa faculdade e aí termina os estudos. Eu sei que meu estudo sobre o dinheiro vai continuar toda minha vida, simplesmente porque quanto mais sei, mais descubro que tenho que aprender ainda. As pessoas em geral nunca estudam o assunto. Trabalha-se, recebe-se o salário, confere-se os canhotos do talão de cheques e isso é tudo. E ainda se espantam porque têm problemas de dinheiro. Então pensam que mais dinheiro vai resolver a situação. Poucos percebem que lhes falta instrução financeira.

– Então papai tem dificuldade com os impostos porque ele não entende de dinheiro? – perguntei confuso.

– Olha – disse pai rico. – Os impostos são apenas uma pequena parte do aprendizado para fazer o dinheiro trabalhar para você. Hoje, eu só queria descobrir se você ainda tem a paixão de aprender sobre dinheiro. A maioria das pessoas não tem. Elas querem ir para a escola, aprender uma profissão, divertir-se no trabalho e ganhar rios de dinheiro. Um dia acordam com sérios problemas financeiros e então não podem parar de trabalhar. Esse é o preço de só saber como trabalhar pelo dinheiro em lugar de estudar para saber como pôr o dinheiro a trabalhar para você. E então, você continua apaixonado por aprender? – perguntou pai rico.

Acenei afirmativamente com a cabeça.

– Bom – disse pai rico. – Agora de volta ao trabalho. Desta vez não vou lhe pagar nada.

– O quê? – perguntei espantado.

– Você ouviu. Nada. Trabalhará as mesmas três horas no sábado, mas desta vez não receberá os 10 centavos por hora. Você disse que queria aprender a não trabalhar pelo dinheiro, sendo assim não vou pagar nada.

Eu não podia acreditar no que estava ouvindo.

– Já tive esta conversa com o Mike. Ele já está trabalhando, tirando a poeira e arrumando as latas para mim. Melhor você se apressar e correr para lá.

– Não é justo – gritei. – O senhor tem que pagar alguma coisa.

– Você disse que queria aprender. Se não aprender isso agora, será como aquelas duas mulheres e o homem que estavam sentados na minha sala: trabalham pelo dinheiro e esperam que eu não os mande embora. Ou como seu pai, ganhando rios de dinheiro apenas para ficar endividado até o pescoço e esperando que mais dinheiro resolva o problema. Se for isso o que você quer, então volte para aqueles 10 centavos a hora. Ou você pode ainda fazer aquilo que muitas pessoas acabam fazendo: reclamar que o salário não é suficiente, demitir-se e procurar outro emprego.

– Que é que eu faço? – perguntei.

Pai rico deu um tapinha em minha cabeça.

– Use isto – falou. – Se você usar bem, logo estará me agradecendo por ter-lhe dado uma oportunidade de se tornar um homem rico.

Fiquei parado, sem acreditar que eu estivesse embarcando nessa canoa. Queria conseguir um aumento e acabei sendo convencido a trabalhar de graça.

Pai rico voltou a dar um tapinha na minha cabeça e disse:

– Use isto. Agora fora daqui, de volta ao trabalho.

LIÇÃO 1: Os ricos não trabalham pelo dinheiro

Não contei para meu pai pobre que não estava mais sendo pago. Ele não teria entendido e eu não queria tentar explicar algo que eu próprio ainda não estava entendendo.

Durante três semanas, Mike e eu trabalhamos três horas, todo sábado, sem ganhar nada. O trabalho não me preocupava, e a rotina se tornou mais fácil. O que me deixava danado era perder os jogos de beisebol e não poder comprar os gibis.

Na terceira semana, por volta do meio-dia, apareceu pai rico. Ouvimos seu caminhão chegar ao estacionamento e fazer um barulhão quando o motor foi desligado. Ele entrou na loja e cumprimentou a senhora Martin com um abraço. Depois de verificar como a loja estava indo, ele abriu o *freezer* dos sorvetes, pegou dois picolés, pagou e chamou a mim e a Mike.

– Vamos dar uma voltinha, moçada.

Atravessamos a rua e fomos para um amplo gramado onde alguns adultos estavam jogando beisebol. Sentando em uma mesa de piquenique afastada, ele deu os picolés para mim e para o Mike.

– Como as coisas estão indo, garotos?

– OK – respondeu Mike.

Concordei com ele.

– Aprenderam alguma coisa? – perguntou pai rico.

Mike e eu olhamos um para o outro, levantamos os ombros e balançamos a cabeça em uníssono.

Evitando uma das maiores armadilhas da vida

– Bom, garotos, precisam começar a pensar. Vocês estão observando uma das maiores lições da vida. Se aprenderem a lição, terão uma vida de grande liberdade e segurança. Se não aprenderem, acabarão como a senhora Martin e a maioria das pessoas que jogam beisebol aqui no parque. Elas trabalham muito, por um salário baixo, agarrando-se à ilusão da segurança no emprego, esperando pelas três semanas de férias anuais e pela reduzida aposentadoria depois de 45 anos de trabalho. Se isso os empolga, vou dar-lhes um aumento para 25 centavos a hora.

– Mas estas pessoas são boas e trabalhadoras. Por que o senhor está debochando delas? – indaguei.

Pai rico abriu um sorriso.

– A senhora Martin é como uma mãe para mim. Nunca seria tão cruel. Pode parecer que estou sendo desalmado porque estou tentado chamar a atenção de vocês dois para um fato que a maioria das pessoas não consegue ter a felicidade de enxergar. Graças a uma visão muito estreita, as pessoas não percebem em que armadilha caíram.

Mike e eu ficamos sentados sem captar totalmente a mensagem. Ele parecia cruel, contudo sentíamos que ele desejava desesperadamente que percebêssemos algo.

Sorrindo, pai rico continuou:

– Não estão gostando desses 25 centavos a hora? O coração de vocês não bate um pouquinho mais rápido.

Fiz um "não" com a cabeça, mas na realidade meu coração batia mais rápido. Para mim 25 centavos a hora representava uma fortuna.

– OK, vou pagar 1 dólar a hora – prosseguiu pai rico, com um sorriso malicioso.

Agora meu coração acelerou de verdade. Meu cérebro gritava "Topa. Topa". Eu não podia acreditar no que estava ouvindo. Ainda assim, fiquei calado.

– OK, 2 dólares a hora.

Meu pequeno cérebro e meu pequeno coração de nove anos quase explodiram. Afinal, estávamos em 1956 e receber 2 dólares a hora teria me tornado o garoto mais rico do mundo. Não me podia imaginar ganhando esse dinheiro todo. Eu queria dizer "sim". Eu queria fechar o negócio. E podia ver a bicicleta nova, a luva de beisebol nova e a adoração de meus colegas quando eu mostrasse algum dinheiro. E, ainda por cima, Jimmy e seus amigos ricos nunca poderiam voltar a me chamar de pobre. Mas consegui me manter em silêncio.

Quem sabe tivesse torrado os miolos e queimado um fusível. Mas no fundo do coração eu queria loucamente esses 2 dólares a hora.

O sorvete estava se derretendo e escorregando pela minha mão. As formigas se deliciavam com a pasta melada de baunilha e chocolate. Pai rico olhava para dois garotos que o olhavam de volta embasbacados. Ele sabia que estava nos testando e ele sabia que parte de nossas emoções queria topar a parada. Sabia que todo ser humano tem uma parte fraca e necessitada de suas almas que pode ser comprada. E sabia que todo ser humano também tinha uma parte da alma que era forte e que jamais se deixaria comprar. A questão era saber qual prevaleceria. Ele tinha testado milhares de almas ao longo de sua vida. Ele testava almas toda vez que entrevistava um candidato a emprego.

– OK, 5 dólares a hora.

De repente fez-se um silêncio dentro de mim. Alguma coisa tinha mudado. A oferta era grande demais e se tornara ridícula. Nem muitos adultos ganhavam 5 dólares por hora em 1956. A tentação se esvaiu e a calma se instalou. Lentamente me virei para a esquerda para olhar Mike. Ele devolveu meu olhar. A parte de minha alma que era fraca e necessitada estava silenciada. A parte que não se vendia estava à frente. Então uma calma e uma certeza sobre o dinheiro invadiram meu cérebro e minha alma. Sabia que Mike também chegara a esse ponto.

– Muito bem – disse pai rico suavemente. – A maioria das pessoas tem um preço. E tem um preço por causa de duas emoções humanas, o medo e a ambição. Primeiro, o medo de não ter dinheiro as leva a trabalhar arduamente e, quando recebem o contracheque, a ambição ou o desejo as levam a pensar nas coisas maravilhosas que podem ser compradas. Então se define o padrão.

– Que padrão? – perguntei.

– Acordar, ir para o trabalho, pagar contas, acordar, ir para o trabalho, pagar contas... Suas vidas então são conduzidas sempre por duas emoções: medo e ambição. Ofereça-lhes mais dinheiro e elas continuarão o ciclo, aumentando também as despesas. É isso que chamo de "Corrida dos Ratos".

– E há outro jeito? – perguntou Mike.

– Sim – disse pai rico. – Mas só poucas pessoas o descobrem.

– E qual é esse jeito? – perguntou Mike.

– É o que espero que vocês descubram enquanto trabalham e estudam comigo. É por isso que acabei com todas as formas de pagamento.

– Alguma dica? – perguntou Mike. – Estamos um pouco cansados de trabalhar muito, especialmente sem receber.

– Bem, o primeiro passo é falar a verdade – disse pai rico.

– Nós não mentimos – falei.

– Não disse que estavam mentindo. Disse para falar a verdade – retrucou pai rico.

– A verdade sobre o quê? – perguntei.

– Sobre como estão se sentindo – respondeu pai rico. – Vocês não precisam falar para mais ninguém. Só para vocês mesmos.

– O senhor está dizendo que as pessoas que estão no parque, as pessoas que trabalham para o senhor, a senhora Martin não fazem isso? – perguntei.

– Duvido – disse pai rico. – Elas têm medo de ficar sem dinheiro. Em lugar de enfrentar o medo, elas reagem em vez de pensar. Elas reagem emocionalmente em lugar de usar suas cabeças – disse pai rico batendo nas nossas cabeças. – Então, elas se vêem com alguns dólares na mão e novamente as emoções da alegria e do desejo e da ambição se apossam delas e novamente reagem em vez de pensar.

– São suas emoções que pensam por elas – falou Mike.

– Certo – falou pai rico. – Em vez de falar a verdade sobre como se sentem, elas reagem a seus sentimentos, e não pensam. Elas sentem o medo, vão para o trabalho esperando que o trabalho acalme esse medo, mas não é isso que acontece. Esse medo antigo as assombra, e elas voltam ao trabalho esperando novamente que o dinheiro acalme seu medo e, novamente, nada. O medo as leva a essa armadilha de trabalhar, ganhar dinheiro, trabalhar, ganhar dinheiro, esperando que o medo vá embora. Mas a cada dia elas acordam, e o velho medo acorda com elas. Para milhões de pessoas, esse velho medo as mantém acordadas de noite, perturbando-as com ansiedade e preocupação. De modo que se levantam e vão para o trabalho esperando que o contracheque mate esse medo que lhes rói a alma. O dinheiro conduz suas vidas e elas se recusam a aceitar essa verdade. O dinheiro controla suas emoções e, conseqüentemente suas almas.

Pai rico ficou sentado, quieto, deixando que assimilássemos suas palavras. Mike e eu havíamos escutado o que ele disse, mas na verdade não entendemos o que ele falou. Eu só sabia que muitas vezes ficava pensando em por que os adultos corriam para o trabalho. Não parecia ser algo muito divertido e eles não aparentavam estar muito felizes, mas alguma coisa os impelia a correr para o trabalho.

Percebendo que tínhamos absorvido o que era possível de suas palavras, pai rico falou:

– E quero que vocês, garotos, evitem essa armadilha. É isso que quero ensinar a vocês. Não apenas a ser rico, porque ser rico não resolve o problema.

– Não resolve? – perguntei surpreso.

– Não, não resolve. Deixem-me falar desta outra emoção, que é o desejo. Alguns a chamam de ganância mas eu prefiro desejo. É perfeitamente normal querer coisas melhores, mais bonitas, mais divertidas ou empolgantes. Portanto, as pessoas também trabalham por dinheiro por causa do desejo. Elas desejam o dinheiro pela alegria que, acreditam, o dinheiro pode comprar. Mas a alegria que o dinheiro traz muitas vezes tem curta duração e é preciso mais dinheiro para adquirir mais alegria, mais satisfação, mais conforto, mais segurança. Assim, continua-se trabalhando, pensando que o dinheiro um dia acalmará suas almas perturbadas pelo medo e pelo desejo. Mas o dinheiro não pode fazer isso.

– Mesmo para as pessoas ricas? – perguntou Mike.

– Incluindo os ricos – respondeu pai rico. – De fato, a razão pela qual muitas pessoas são ricas não é o desejo mas o medo. Elas pensam que o dinheiro pode acabar com seu medo de ficar sem dinheiro, de serem pobres, de modo que acumulam fortunas apenas para descobrir que o medo fica pior. Agora elas receiam perdê-lo. Tenho amigos que continuam trabalhando mesmo quando já têm muito. Sei de pessoas que têm milhões e estão mais apavoradas do que quando eram pobres. Estão aterrorizadas com a possibilidade de perder todo o seu dinheiro. Os medos que as levaram a se tornarem ricas ficam maiores. Essa parte fraca e necessitada de suas almas na verdade grita ainda mais forte. Não querem perder suas mansões, seus carros, a vida de luxo que o dinheiro pode comprar. Preocupam-se com o que seus amigos dirão se perderem todo o seu dinheiro.

Muitos estão emocionalmente desesperados e neuróticos embora pareçam ricos e tenham grandes fortunas.

– Então a pessoa pobre é mais feliz? – perguntei.

– Não, não acho – replicou pai rico. – Evitar o dinheiro é tão neurótico quanto ser apegado ao dinheiro.

Como se isso tivesse sido uma deixa, o mendigo da cidade passou perto de nossa mesa, parou junto ao cesto de lixo e começou a vasculhar. Nós três observamos com grande interesse, talvez antes o tivéssemos ignorado.

Pai rico tirou da carteira uma nota de 1 dólar e fez um gesto para o velho. Este ao ver o dinheiro se aproximou imediatamente, pegou a nota, agradeceu profusamente e saiu encantado com sua boa sorte.

– Ele não é muito diferente da maioria dos meus empregados – disse pai rico. – Já encontrei tanta gente que fala, "Ah, não estou interessado no dinheiro". Contudo, eles trabalham oito horas por dia nos seus empregos. Isso é uma negação da verdade. Se não estão interessados no dinheiro, então por que é que trabalham? Esse tipo de pensamento é possivelmente mais neurótico do que o de uma pessoa que entesoura dinheiro.

Enquanto eu estava ali sentado, ouvindo meu pai rico, minha mente recordava as inúmeras vezes em que meu próprio pai dizia: "Não estou interessado no dinheiro." Ele falava isso freqüentemente. Também se justificava dizendo sempre: "Trabalho porque gosto do que faço."

– Então o que temos que fazer? – perguntei. – Não trabalhar pelo dinheiro até perder todos os resquícios de medo e ganância?

– Não, isso seria uma perda de tempo – falou pai rico. – As emoções são o que nos torna humanos. Nos tornam reais. A palavra "emoção" representa energia em movimento. Seja sincero a respeito de suas emoções e use sua mente e suas emoções a seu favor, não contra você.

– Nossa! – exclamou Mike.

– Não se preocupe com o que acabei de falar. Daqui a alguns anos você entenderá melhor. Observe suas emoções, não reaja a elas. A maioria das pessoas não percebe que está pensando com suas emoções. Suas emoções são suas emoções, mas você precisa aprender a pensar por si próprio.

– O senhor poderia dar um exemplo? – pedi.

– Lógico – retrucou pai rico. – Quando uma pessoa fala. "Preciso procurar um emprego", o mais provável é que esteja pensando com uma emoção. O medo de não ter dinheiro é que gera esse pensamento.

– Mas as pessoas precisam de dinheiro se têm contas a pagar – falei.

– Sem dúvida – disse pai rico sorrindo. – Tudo o que estou dizendo é que na maioria das vezes são as emoções que comandam o pensamento.

– Não estou entendendo – disse Mike.

– Por exemplo – continuou pai rico –, se existe o medo de não ter dinheiro suficiente, em vez de sair correndo para procurar um emprego a fim de ganhar algum, as pessoas poderiam se perguntar: "Um emprego seria, no longo prazo, a melhor solução para este medo?" Na minha opinião a resposta é "Não". Especialmente se levarmos em conta a duração da vida da pessoa. Um emprego é na verdade uma solução de curto prazo para um problema de longo prazo.

– Mas meu pai sempre fala, "vá para a escola, tire notas boas para que possa conseguir um emprego bom e seguro" – disse eu, um pouco confuso.

– Sim, entendo o que ele diz – afirmou pai rico sorrindo. – A maioria das pessoas aconselha isso e costuma considerar uma boa idéia. Mas, em geral, é o medo que leva as pessoas a dar esse conselho.

– O senhor quer dizer que meu pai fala isso porque tem medo?

– Sim – respondeu pai rico. – Seu pai está apavorado com a possibilidade de você não ser capaz de ganhar dinheiro e enquadrar-se na sociedade. Não me entenda mal. Ele o ama e quer o melhor para seu filho. E eu acho que seu receio se justifica. Instrução e emprego são coisas importantes. Mas elas não resolvem a questão do medo. Veja, é esse mesmo medo que o faz levantar todas as manhãs para ganhar alguns dólares e o que o leva a preocupar-se tanto com que você vá para a escola.

– E o senhor, aconselha o quê? – perguntei.

– Quero ensinar a vocês o domínio sobre o poder do dinheiro. A não ter medo dele. E isso não é ensinado na escola. Se não aprenderem isso, se tornarão escravos do dinheiro.

Começava, finalmente, a fazer sentido. Ele queria abrir nossos horizontes. Mostrar-nos o que a senhora Martin não via, o que seus empregados não viam, ou, por falar nisso, o que meu pai não via. Naquele dia minha visão se ampliou e comecei a vislumbrar a armadilha que aguardava tanta gente.

– Vejam, em última análise, somos todos empregados. Só que trabalhamos em níveis diferentes – disse pai rico. – Eu só quero que vocês tenham a chance de escapar da armadilha. A armadilha criada por essas duas emoções, o medo e o desejo. Usem-nas a seu favor, não contra. Isso é o que quero ensinar a vocês. Não estou interessado em ensinar apenas a ganhar rios de dinheiro. Isso não vai cuidar do medo e do desejo. Se, primeiramente, vocês não cuidarem do medo e do desejo, e ficarem ricos, vocês serão apenas escravos bem pagos.

– E como escapar da armadilha? – perguntei.

– A causa principal da pobreza ou das dificuldades financeiras está no medo e na ignorância, não na economia, ou no governo ou nos ricos. É o medo que instalamos em nós mesmos e a ignorância que mantêm as pessoas presas na armadilha. Então vocês, garotos, vão para a escola e se formem. Eu lhes ensinarei como não cair na armadilha.

As peças do quebra-cabeça começavam a se encaixar. Meu pai instruído tinha ótima formação e uma ótima carreira. Mas a escola nunca lhe tinha dito como lidar com o dinheiro ou com seus medos. Tornava-se claro que eu poderia aprender coisas diferentes e importantes com dois pais.

– O senhor está falando do medo de não ter dinheiro. Como o desejo por dinheiro afeta nosso pensamento? – perguntou Mike.

– Como você se sentiu quando eu o tentei com um aumento no pagamento? Você notou que seu desejo crescia?

Balançamos a cabeça afirmativamente.

– Ao não ceder a suas emoções, vocês foram capazes de adiar suas reações e pensar. Isso é o mais importante. Sempre sentiremos emoções de medo e ambição. Daqui para frente, o mais importante será que vocês usem essas emoções a seu favor e a longo prazo e não apenas deixem que elas os conduzam e controlem seus pensamentos. A maioria das pessoas usa o medo e a ambição contra si mesmas. Isso é o começo da ignorância. Grande parte das pessoas passa a vida atrás de contracheques, aumentos salariais e segurança no emprego por causa dessas emoções de desejo e medo, sem se questionar realmente para onde esses pensamentos conduzidos pela emoção as estão levando. É como a história do burro que movimenta o carro enquanto seu dono fica balançando uma cenoura à frente de seu nariz. O dono do burro pode estar indo aonde deseja ir, mas o burro está correndo atrás de uma ilusão. Amanhã só haverá outra cenoura para o burro.

– O senhor quer dizer que no momento em que eu imaginei a nova luva de beisebol, os doces e os brinquedos, isso era como a cenoura para o burro? – perguntou Mike.

– Isso mesmo! E quando você crescer os brinquedos serão mais caros. Um carro novo, uma lancha e uma casa grande para impressionar seus amigos – disse pai rico com um sorriso. – O medo empurra para fora da porta e o desejo o atrai, fazendo com que vocês vão de encontro ao rochedo. Esta é a armadilha.

– E qual é a resposta? – perguntou Mike.

– O que aumenta o medo e o desejo é a ignorância. É por isso que pessoas ricas com muito dinheiro muitas vezes têm mais medo à medida que ficam mais ricas. O dinheiro é a cenoura, a ilusão. Se o burro pudesse entender todo o contexto, ele poderia pensar duas vezes antes de sair correndo atrás da cenoura.

Pai rico passou a explicar que a vida humana é uma luta entre a ignorância e o esclarecimento. Explicou que ao deixarmos de buscar informação e conhecimento sobre nós mesmos, instala-se a ignorância. A luta é uma decisão feita momento a momento – de aprender a abrir ou fechar a própria mente.

– Veja, a escola é muito, muito importante. Vocês vão à escola para aprender uma habilidade ou uma profissão e poder se tornar um membro útil da sociedade. Cada cultura necessita de professores, médicos, artistas, cozinheiros, homens de negócios, policiais, bombeiros, soldados. A escola os treina de modo que nossa cultura possa florescer – disse pai rico. – Infelizmente para muita gente a escola é o fim e não o início.

Fez-se um longo silêncio. Pai rico sorria. Não entendi tudo o que ele disse naquele dia. Mas como ocorre com a maioria dos grandes mestres, cujas palavras continuam repercutindo por muitos anos, muitas vezes até depois que se foram, suas palavras estão comigo até hoje.

– Hoje me mostrei um pouco cruel – disse pai rico. – Cruel por um motivo. Queria que vocês sempre se lembrassem desta conversa. Quero que pensem sempre na senhora Martin. Quero que pensem sempre no burro. Não esqueçam nunca, porque as duas emoções, medo e desejo, podem levá-los à maior armadilha da vida, se não tiverem consciência de que elas estão controlando seu pensamento. Passar a vida com medo, não explorando jamais seus sonhos, é cruel. Trabalhar arduamente por dinheiro, pensando que este comprará aquilo que lhes trará felicidade é também cruel. Acordar no meio da noite apavorado com as contas a pagar é uma forma de vida horrível. Viver uma vida determinada pelo montante de seu contracheque não é realmente viver. Pensar que um emprego os fará sentir-se seguros é mentir para vocês mesmos. É cruel e é a armadilha que quero que evitem, se possível. Vi como o dinheiro conduz a vida das pessoas. Não deixem que isso aconteça com vocês. Por favor, não deixem o dinheiro dominar suas vidas.

Uma bola de beisebol rolou para nossa mesa. Pai rico a pegou e a lançou de volta.

– O que a ignorância tem a ver com a ambição e o medo? – perguntei.

– É a ignorância sobre o dinheiro que causa tanta ambição e tanto medo – disse pai rico. – Vou dar alguns exemplos. Um médico, querendo mais dinheiro para sustentar melhor sua família, aumenta o preço de suas consultas. Isso prejudica principalmente os mais pobres, de modo que estes têm saúde pior do que aqueles que têm dinheiro.

E continuou:

– Como os médicos aumentam suas consultas, os advogados também aumentam sua remuneração. Como a remuneração dos advogados aumentou, os professores querem um aumento, o que provoca um aumento dos impostos e assim por diante. Logo, logo, a disparidade entre ricos e pobres será tão grande que surgirá o caos e outra civilização entrará em colapso. As grandes civilizações entraram em colapso porque a distância entre os que têm e os que não têm era grande demais. Os EUA estão seguindo o mesmo caminho, provando mais uma vez que a história se repete, porque não aprendemos com ela. Só decoramos mecanicamente datas e nomes e não a lição.

– E os preços não aumentam? – perguntei.

– Não numa sociedade instruída, com um bom governo. Os preços na verdade deveriam cair. Naturalmente, isso às vezes só é verdadeiro na teoria. Os preços sobem devido ao medo e à ambição gerados pela ignorância. Se as escolas ensinassem às pessoas sobre o dinheiro, haveria mais dinheiro e preços mais baixos, mas as escolas estão preocupadas em ensinar as pessoas a trabalhar pelo dinheiro e não a controlar o poder do dinheiro.

– Mas não existem escolas de negócios? – perguntou Mike. – O senhor não está incentivando que eu vá fazer meu mestrado em uma escola de negócios?

– Sim – falou pai rico. – Mas na maioria das vezes as escolas de negócios treinam empregados que são contadores sofisticados. Que os céus não permitam que um contador domine uma empresa! Tudo o que eles fazem é olhar para os números, demitir gente e aniquilar o negócio. Sei disso porque contrato contadores. Tudo o que eles pensam é cortar custos e aumentar preços, o que causa mais problemas. A contabilidade é importante. Gostaria que mais gente a conhecesse, mas, ao mesmo tempo, ela não mostra tudo – acrescentou pai rico furioso.

– Há uma solução? – perguntou Mike.

– Sim – disse pai rico. – Aprenda a usar suas emoções para pensar e não pensar com suas emoções. Quando vocês, garotos, dominaram suas emoções, concordando em trabalhar de graça para mim, sabia que havia esperança. Quando novamente vocês resistiram a suas emoções quando os tentei com mais dinheiro, vocês estavam novamente aprendendo a pensar em vez se renderem às emoções. Este é o primeiro passo.

– Por que esse primeiro passo é tão importante? – perguntei.

– Isso vocês terão de descobrir. Quero que vocês aprendam. Vou levá-los pelo caminho dos espinhos. É um lugar que quase todos evitam. Vou levá-los a esse lugar aonde a maioria das pessoas tem medo de ir. Se forem comigo, abandonarão a idéia de trabalhar por dinheiro e aprenderão a fazer o dinheiro trabalhar para vocês.

– E o que receberemos se formos com o senhor? O que acontecerá se concordamos em aprender com o senhor? O que obteremos? – perguntei.

– O mesmo que Irmão Coelho obteve – disse pai rico. – Libertação da Boneca de Piche.*

– Há um caminho de espinhos? – perguntei.

---

* Referências a personagens de uma conhecida história infantil passada no sul dos EUA, *Uncle Remus* (1881), de Joel C. Harris. Com base nela, Disney criou em 1946 o filme *A Canção do Sul*. A boneca de piche é usada pela raposa como isca para pegar e livrar-se de seu inimigo, o coelho. (N. T.)

– Sim – assentiu pai rico. – O caminho de espinhos é nosso medo e nossa ambição. A saída está em pôr de lado o medo e confrontar nossa ambição, nossas fraquezas, nossa carência. E a saída também está na mente, na escolha de nossos pensamentos.

– Escolher nossos pensamentos? – perguntou Mike intrigado.

– Sim. Escolher o que pensamos em lugar de reagir a nossas emoções, em lugar de levantar da cama e ir para o trabalho para resolver os problemas, porque estamos assombrados pelo medo de não ter dinheiro para pagar nossas contas. O pensamento o levaria a dedicar tempo a colocar-se a si mesmo a pergunta. Uma pergunta como: "Trabalhar com mais afinco seria a melhor solução para este problema?" A maioria das pessoas está tão apavorada por não encarar a verdade – o medo está controlando-as – que não podem pensar e assim correm para sair de casa. A Boneca de Piche está no controle. Isto é o que quero dizer quando falo em escolher os pensamentos.

– E como fazemos isso? – perguntou Mike.

– Isso é o que vou ensinar a vocês. Vou lhes ensinar como escolher seus pensamentos, em lugar de reagir apavorados, tomando o café da manhã afobadamente e disparando porta afora.

– Lembrem-se do que disse antes: um emprego é apenas uma solução de curto prazo para um problema de longo prazo. A maioria das pessoas só tem um problema em mente e é de curto prazo. São as contas do fim do mês, a Boneca de Piche. O dinheiro passa a conduzir suas vidas. Ou melhor dizendo, o medo e a ignorância em relação ao dinheiro. Da mesma forma que faziam seus pais, elas acordam toda manhã e vão trabalhar por dinheiro. Não têm tempo de se perguntar se há outra maneira. Suas emoções estão no controle de seu pensamento, não suas cabeças.

– O senhor pode distinguir o pensar com as emoções do pensar com a cabeça? – perguntou Mike.

– Sim, eu ouço isso o tempo todo – respondeu pai rico. – Ouço coisas como "Bem, todo o mundo tem que trabalhar". Ou "Os ricos são desonestos". Ou "Vou procurar outro emprego. Mereço esse aumento. Eles não vão me passar para trás". Ou "Gosto deste emprego porque ele é seguro". Em lugar de perguntas como "O que é que eu estou perdendo aqui?", o que interromperia o pensamento emocional e daria tempo de pensar com clareza.

Devo admitir que estava recebendo uma grande lição: saber quando alguém estava falando a partir de suas emoções ou de um pensamento claro. Era uma lição que me prestou bons serviços a vida toda. Especialmente quando era eu que estava falando a partir de uma reação e não de um pensamento claro.

Enquanto caminhávamos de volta à loja, pai rico explicou que os ricos realmente "faziam dinheiro". Eles não trabalhavam por ele. Ele continuou explicando que quando Mike e eu estávamos cunhando pratinhas de 5 centavos com o chumbo, pensando que estávamos fazendo dinheiro, nós estávamos pensando quase como os ricos. O problema é que nós estávamos praticando um ato ilegal. Era legal quando o governo e os bancos faziam isso, mas não quando nós o fazíamos. Ele explicou que havia formas legais de fazer dinheiro e formas ilegais.

Pai rico continuou explicando que os ricos sabiam que o dinheiro era uma ilusão, como a cenoura para o burro. É em virtude do medo e da ambição que milhões de pessoas aceitam a ilusão de que o dinheiro é real. O dinheiro é uma ficção. Somente a ilusão de confiança e a ignorância das massas permite que o castelo de cartas fique em pé. "De fato" disse ele, "de várias maneiras a cenoura do burro é mais valiosa do que o dinheiro."

Ele falou do padrão ouro que vigorava nos EUA e que na verdade cada nota de dólar era um certificado de prata. O que o preocupava é que algum dia o país pudesse abandonar o padrão ouro e os dólares deixassem de ser certificados de prata.

– O que aconteceria, garotos, seria uma grande confusão. Os pobres, a classe média e os ignorantes teriam suas vidas arruinadas simplesmente porque continuariam acreditando que o dinheiro é real e que a empresa para a qual trabalham, ou o governo, cuidaria deles.

Naquele dia não entendemos do que ele estava falando, mas com o correr dos anos isso passou a fazer cada vez mais sentido.

Vendo o que os outros não vêem

Ao entrar em sua caminhonete, no estacionamento da pequena loja de conveniência, ele disse:

– Continuem trabalhando, garotos, mas quanto mais cedo vocês se esquecerem de que precisam de um contracheque, mais fácil se tornará sua vida adulta. Continuem usando seu cérebro, trabalhem de graça e logo sua mente lhes mostrará formas de ganhar muito mais dinheiro do que eu poderia lhes pagar. Vocês verão o que outras pessoas nunca percebem. Oportunidades que estão à frente de seu nariz. A maioria jamais enxerga essas oportunidades porque estão atrás de dinheiro e segurança, e é isso que elas recebem. No momento em que vislumbrarem uma oportunidade, vocês a reconhecerão pelo resto de suas vidas. Quando conseguirem isso, vou lhes ensinar outra coisa. Aprendam essa lição e evitarão uma das maiores armadilhas da vida. Vocês não tocarão, nunca, jamais, nessa Boneca de Piche.*

* A boneca de piche da história é totalmente pegajosa, daí a dificuldade de se livrar dela e dos problemas que ela provoca. (N. T.)

Mike e eu pegamos nossas coisas na loja e nos despedimos da senhora Martin. Voltamos ao parque, ao mesmo banco da área de piquenique, e passamos várias horas pensando e conversando.

Passamos a semana seguinte na escola, pensando e conversando. Durante outras duas semanas, pensamos, conversamos e trabalhamos de graça.

No fim do segundo sábado, estava eu, outra vez, me despedindo da senhora Martin e atirando um olhar sonhador para a estante das revistas em quadrinhos. O duro de não ganhar nem mesmo 30 centavos aos sábados era que eu não tinha dinheiro para comprar gibis. De repente, enquanto a senhora Martin se despedia de Mike e de mim, vi que ela estava fazendo algo que eu nunca a vira fazer antes. Ou melhor, vira, mas nunca prestara atenção.

A senhora Martin estava arrancando a metade superior da capa do gibi. Ela guardava essa metade e jogava, numa caixa de papelão, o resto da revistinha. Quando perguntei o que estava fazendo com as revistinhas, ela falou; "Estou jogando fora. Devolvo a parte de cima da capa para o distribuidor das revistas que me dá um crédito quando traz os novos gibis. Ele vai chegar daqui a uma hora."

Mike e eu esperamos uma hora. Quando ele chegou perguntei se podíamos ficar com os gibis velhos. Ele respondeu: "Vocês podem ficar se vocês trabalharem nesta loja e não os revenderem."

Nossa parceria ressuscitou. A mãe de Mike tinha um quarto vazio no porão da casa. Nós o limpamos e começamos a empilhar ali centenas de gibis. Em pouco tempo, nossa biblioteca de gibis estava aberta ao público. Contratamos a irmã caçula de Mike, que adorava estudar, para ser a bibliotecária. Ela cobrava de cada criança um ingresso de 10 centavos e a biblioteca permanecia aberta, depois das aulas, das 14:30 às 16:30, todos os dias. Os freqüentadores, as crianças da vizinhança, podiam ler quantos gibis conseguissem nessas duas horas. Era uma pechincha pois cada gibi custava 10 centavos e podiam-se ler cinco ou seis nessas duas horas.

A irmã de Mike controlava a saída da garotada para assegurar-se de que ninguém estivesse levando uma revista emprestada. Ela também controlava os livros, registrava quantas crianças compareciam diariamente, quem eram elas e os comentários que faziam. Recebia 1 dólar por semana e deixávamos que lesse de graça quantos gibis desejasse, o que ela fazia raramente porque estava sempre estudando.

Mike e eu mantivemos o acordo de trabalhar todo sábado na loja e arrecadávamos os gibis descartados. Mantivemos nosso acordo com o distribuidor pois não revendíamos nenhum gibi. Quando eles ficavam muito rasgados, os queimávamos. Tentamos abrir uma filial, mas nunca encontramos alguém tão dedicado e confiável quanto a irmã do Mike para cuidar dela.

Nessa idade precoce descobrimos como era difícil conseguir bons funcionários.

Três meses depois da inauguração da biblioteca, houve uma briga na sala. Alguns garotos de outro bairro a invadiram e começaram a confusão. O pai de Mike sugeriu que fechássemos o negócio. Nossa biblioteca deixou de existir e paramos de trabalhar aos sábados na loja de conveniência. De qualquer forma, pai rico estava entusiasmado e queria nos ensinar mais. Ele estava feliz porque tivemos muito êxito na primeira lição. Aprendemos a fazer o dinheiro trabalhar para nós. Como não tínhamos recebido pagamento pelo trabalho na loja, forçamos nossa imaginação identificando uma oportunidade de ganhar dinheiro. Ao começar nosso próprio negócio, a biblioteca de gibis, estávamos controlando nossas próprias finanças e não dependendo de um empregador. A melhor parte é que nosso negócio rendia dinheiro para nós, mesmo que nós não estivéssemos fisicamente presentes. Nosso dinheiro trabalhava para nós.

Em lugar de nos pagar em dinheiro, pai rico tinha nos dado muito mais.

CAPÍTULO TRÊS
Lição 2:

Para que alfabetização financeira?

Em 1990, meu melhor amigo, Mike, assumiu o império de seu pai e está fazendo, de fato, um trabalho melhor do que o do seu pai. Encontramo-nos uma ou duas vezes no ano, no campo de golfe. Ele e sua mulher são muito mais ricos do que você possa imaginar. O império de pai rico está em grandes mãos e Mike está agora preparando seu filho para ocupar seu lugar, tal como seu pai nos preparou.

Em 1994, aposentei-me aos 47 anos de idade e minha mulher, Kim, tinha 37 anos. Aposentadoria não significa deixar de trabalhar. Para minha mulher e para mim, quer dizer que, se não houver mudanças cataclísmicas inesperadas, podemos trabalhar ou não, e nossa riqueza continuará aumentando automaticamente, ficando bem à frente da inflação. Acho que isso representa liberdade. Os ativos são suficientemente grandes para crescerem por si próprios. É como plantar uma árvore. Você a rega durante anos e, então, um dia, ela não precisa mais disso. Suas raízes são suficientemente profundas. Então, a árvore lhe proporciona sombra para seu prazer.

Mike optou por dirigir o império e eu por aposentar-me.

Sempre que faço palestras, as pessoas perguntam o que lhes aconselho ou o que elas deveriam fazer? "Como começar?" "Há algum bom livro que eu possa recomendar?" "O que elas deveriam fazer para preparar seus filhos?" "Qual é o segredo do sucesso?" "Como é que eu ganho milhões?" Nessas ocasiões sempre me lembro de um artigo que me deram certa vez. Diz mais ou menos o seguinte:

OS HOMENS DE NEGÓCIOS MAIS RICOS

Em 1923 um grupo de nossos maiores líderes e homens de negócios mais ricos participou de um encontro no hotel Edgewater Beach em Chicago. Entre eles estavam Charles Schwab, presidente da maior siderúrgica independente; Samuel Insull, presidente da maior empresa de energia elétrica; Howard Hopson, presidente da maior empresa fornecedora de gás; Ivar Kreuger, presidente da International Match Co., uma das maiores empresas da época; Leon Frazier, presidente do Banco Internacional de Compensações Financeiras; Richard Whitney, presidente da Bolsa de Valores de Nova York; Arthur Cotton e Jesse Livermore, dois dos maiores especuladores de ações, e Albert Fall, um membro do gabinete do Presidente Harding. Vinte e cinco anos depois, nove deles (os listados anteriormente) terminaram como se segue. Schwab morreu sem um centavo, depois de viver cinco anos de empréstimos. Insull morreu falido, em um país estrangeiro. Kreuger e Cotton também morreram falidos. Hopson ficou louco. Whitney e Albert Fall tinham acabado de sair da cadeia. Fraser e Livermore se suicidaram.

Duvido que alguém possa dizer o que aconteceu realmente com aqueles homens. Se você olhar a data da reunião, 1923, foi antes do *crash* da bolsa de 1929 e da Grande Depressão, o que, desconfio, deve ter tido grande impacto sobre esses homens e suas vidas. O interessante é isto: hoje vivemos em tempos de mudanças maiores e mais aceleradas do que esses homens vivenciaram. Imagino que nos próximos 25 anos deverão registrar-se auges e quedas comparáveis aos enfrentados por eles. Estou muito preocupado pelo fato de que gente demais se preocupa excessivamente com dinheiro e não com sua maior riqueza, a educação. Se as pessoas estiverem preparadas para serem flexíveis, mantiverem suas mentes abertas e aprenderem, elas se tornarão cada vez mais ricas ao longo dessas mudanças. Se elas pensarem que o dinheiro resolverá seus problemas, receio que terão dias difíceis. A inteligência resolve problemas e gera dinheiro. O dinheiro sem a inteligência financeira é dinheiro que desaparece depressa.

A maioria das pessoas não percebe que na vida o que importa não é quanto dinheiro você ganha, mas quanto dinheiro você conserva. Todos ouvimos histórias de ganhadores de prêmios na loteria que eram pobres, enriqueceram subitamente e voltaram a ser pobres. Ganham milhões e logo estão de volta ao ponto de partida. Ou histórias de atletas profissionais que, aos 24 anos, ganham milhões de dólares ao ano e que, aos 34, estão dormindo embaixo da ponte. Hoje de manhã, quando estou escrevendo isto, o jornal conta a história de um jovem jogador de basquete que um ano atrás era milionário. Hoje, ele diz que seus amigos, seu advogado e seu contador levaram todo o seu dinheiro e está trabalhando em um lava-carros por um salário mínimo.

Ele tem apenas 29 anos. Foi demitido do lava-carros porque se recusou a tirar seu anel de campeão enquanto trabalhava e, por isso, sua história chegou ao jornal. Ele estava lutando por sua reintegração, alegando dificuldades para sobreviver e discriminação, o anel era tudo o que lhe restara. Afirmava que se isso lhe fosse tirado ele desmoronaria.

Em 1997 sei de muitas pessoas que estão se tornando milionários instantâneos. É a volta dos Loucos Anos 20. E embora fique feliz de ver que pessoas se tornam cada vez mais ricas, só posso advertir que, no longo prazo, não importa tanto o quanto você ganhou mas o quanto você conservou e por quantas gerações isso é conservado.

Partindo deste princípio, quando as pessoas perguntam "Como o senhor começou?" ou "Diga-me como ficar rico rapidamente", elas freqüentemente ficam muito desapontadas com minha resposta. Eu simplesmente lhes digo o que meu pai rico me falou quando eu era um moleque: "Se você quiser ficar rico, você precisa de uma alfabetização financeira."

A idéia era martelada na minha cabeça toda vez que nos encontrávamos. Como já disse, meu pai instruído destacava a importância da leitura de livros, enquanto meu pai rico destacava a necessidade de dominar os conhecimentos das finanças.

Se você quer construir um Empire State Building, a primeira coisa a fazer é cavar profundamente o terreno e construir sólidos alicerces. Se você vai construir uma casa no subúrbio,* tudo o que tem a fazer é assentá-la numa laje de concreto de 15 cm. A maioria das pessoas, em sua ânsia de enriquecer, tenta construir um Empire State Building sobre uma laje de 15 cm.

Nosso sistema escolar, por ter sido criado na época agrária, ainda acredita em casas sem alicerces. Chão de terra batida ainda está na moda. Assim, a garotada sai da escola sem qualquer fundamento financeiro. Um dia, insones e endividados no subúrbio, vivendo o *sonho americano*, elas decidem que a resposta para seus problemas financeiros está em achar um meio de enriquecer rapidamente.

Começa a construção do arranha-céu. Sobe rapidamente e, logo, em lugar de um Empire State Building, temos a Torre Inclinada dos Subúrbios. De volta às noites insones.

No meu caso e no de Mike, quando adultos, as nossas escolhas foram possíveis porque fomos ensinados a construir sólidos alicerces quando éramos apenas crianças.

---

* É bom recordar que, diferentemente do Brasil, nos EUA os subúrbios são os locais de moradia das classes mais abastadas. (N. T.)

Agora vejamos, a contabilidade é possivelmente um dos assuntos mais áridos do mundo. E pode também ser o mais confuso. Mas se você quiser ser rico, pode ser o assunto mais importante. A questão é, como pegar um tema entediante e confuso e ensiná-lo a crianças? A resposta é, simplifique. Comece por ensiná-lo por meio de figuras.

Meu pai rico construiu um sólido alicerce financeiro para Mike e para mim. Já que éramos apenas crianças, ele criou uma forma muito simples de ensinar. Durante anos ele apenas fazia desenhos e usava palavras. Mike e eu entendíamos os desenhos simples, o jargão, o movimento do dinheiro e então, anos mais tarde, pai rico começou a incluir números. Hoje, Mike domina uma análise contábil muito mais complexa e sofisticada porque precisa disso. Ele tem que controlar um império de um bilhão de dólares. Eu não sou tão sofisticado porque meu império é menor; contudo, ambos partimos do mesmo alicerce simplificado. Nas páginas que se seguem apresentarei as mesmas figuras simples que o pai de Mike criou para nós. Embora simples, esses desenhos ajudaram a orientar dois garotos na construção de uma grande riqueza embasada em fundamentos sólidos e profundos.

Regra Número Um. Você tem que conhecer a diferença entre um ativo e um passivo e comprar ativos. Se você deseja ser rico, isso é tudo o que você precisa conhecer. É a Regra Número Um e é a única regra. Isto pode parecer absurdamente simples, porque não se tem idéia do quanto é profunda. A maioria das pessoas tem dificuldades financeiras porque não conhece a diferença entre um ativo e um passivo.

– As pessoas ricas adquirem ativos. Os pobres e a classe média adquirem obrigações pensando que são ativos.

Quando pai rico explicou isso para Mike e para mim, pensamos que ele estava brincando. Aí estávamos, quase adolescentes, esperando pelo segredo do enriquecimento e essa era a resposta. Era tão simples que precisamos parar um longo tempo para pensar a respeito.

– O que é um ativo? – perguntou Mike.

– Não se preocupe agora – disse pai rico. – Deixe a idéia amadurecer. Se você puder entender a simplicidade, sua vida terá um rumo e será fácil do ponto de vista financeiro. É simples, por isso é que não se presta atenção.

– O senhor quer dizer que tudo o que precisamos conhecer é o que é um ativo, comprá-lo e ficaremos ricos? – perguntei.

Pai rico balançou a cabeça afirmativamente.

– É tão simples assim.

– Se é tão simples, por que é que todos não ficam ricos? – perguntei.

Pai rico sorriu:

– Por que as pessoas não sabem distinguir um ativo de um passivo.

Lembro de ter perguntado "Como é que os adultos podem ser tão ignorantes. Se é tão simples, tão importante, por que todo mundo não procura descobrir a diferença?"

Pai rico levou apenas alguns minutos para explicar o que eram ativos e passivos.

Já adulto tive dificuldade em explicar isso a outros adultos. Por quê? Porque os adultos são mais espertos. Na maioria dos casos, a simplicidade da idéia escapa aos adultos porque eles foram educados de maneira diferente. Eles foram educados por outros profissionais instruídos, como banqueiros, contadores, agentes imobiliários, planejadores financeiros e assim por diante. A dificuldade está em levar os adultos a desaprender, ou a tornar-se outra vez criança. Um adulto inteligente freqüentemente se sente diminuído ao prestar atenção em definições simplistas.

Pai rico acreditava no princípio SE – "Simplifique, Estúpido" – de modo que ele simplificou as coisas para os dois garotos e lhes deu uma sólida base financeira.

O que provoca a confusão? Ou como algo tão simples pode parecer tão enrolado? Por que alguém compraria um ativo que na verdade era uma obrigação? A resposta está nos conhecimentos básicos.

Pensamos em "alfabetização" e não em "alfabetização financeira". O que define se algo é um ativo, ou é um passivo, não são as palavras. De fato, se você quer ficar realmente confuso, procure as palavras "ativo" e "passivo" no dicionário. Sei que um contador pode achar boa a definição, mas para a pessoa média não faz sentido. Mas nós adultos muitas vezes somos orgulhosos demais para admitir que algo não faz sentido.

Quando éramos garotos, pai rico falava: "O que define um ativo não são as palavras mas os números. E se você não puder ler os números, você não pode distinguir um ativo de um buraco no chão. Na contabilidade", dizia pai rico, "não importam os números mas o que os números contam. É como as palavras. Não são as palavras. Mas as histórias que elas nos contam."

Muitas pessoas lêem, mas não entendem muita coisa. É a chamada compreensão da leitura. E todos temos habilidades diferentes no que se refere à compreensão da leitura. Por exemplo, recentemente comprei um novo aparelho de vídeo. Junto vinha o manual que explicava como fazer gravações. Tudo o que eu queria era gravar meu programa preferido numa sexta-feira à noite. Quase fiquei maluco tentando ler o manual. Nada no meu mundo é tão complexo quanto programar a gravação do vídeo. Eu li as palavras, mas não entendi nada. Eu tiro "10" no reconhecimento das palavras, mas tiro "0" na compreensão. E o mesmo acontece com a maioria das pessoas quando se trata de demonstrações financeiras.

"Se você quer ficar rico, você tem que ler e entender os números." Ouvi meu pai rico repetir isso mil vezes. E também aprendi: "Os ricos adquirem ativos e os pobres e a classe média adquirem obrigações."

Aqui está a maneira de distinguir ativos de passivos. A maioria dos contadores e profissionais das finanças não concorda com as definições, mas estes desenhos simples foram o início de uma base financeira sólida para dois garotos.

Para ensinar a pré-adolescentes, pai rico simplificou tudo, durante anos, usando tantos diagramas quanto possível, o menor número de palavras possível e nenhum número.

"Este é o padrão do fluxo de caixa de um ativo."

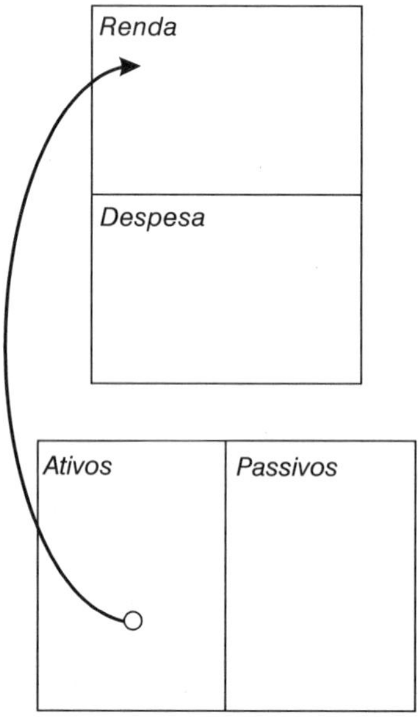

A caixa de cima é uma Demonstração de Renda, muitas vezes chamada de Demonstração de Lucros e Perdas. Mede renda e despesas. Dinheiro que entra e dinheiro que sai. O diagrama inferior é um Balanço. É chamado de Balanço porque representa o equilíbrio entre ativos e passivos. Muitos novatos nas finanças não conhecem a relação entre a Demonstração de Renda e o Balanço. O entendimento desta relação é vital.

A principal causa da dificuldade financeira está simplesmente no desconhecimento da diferença entre um ativo e um passivo. E a confusão decorre da definição das duas palavras. Se você quer uma lição de confusão busque no dicionário as palavras "ativo" e "passivo".

Isso pode fazer sentido para contadores formados, mas para as pessoas comuns parece estar escrito em mandarim.* Você lê as palavras da definição, mas o entendimento verdadeiro é difícil.

Como disse anteriormente, meu pai rico dizia para dois garotos que "ativos põem dinheiro no seu bolso". Simpático, simples e útil.

"Este é o padrão do fluxo de caixa de um passivo."

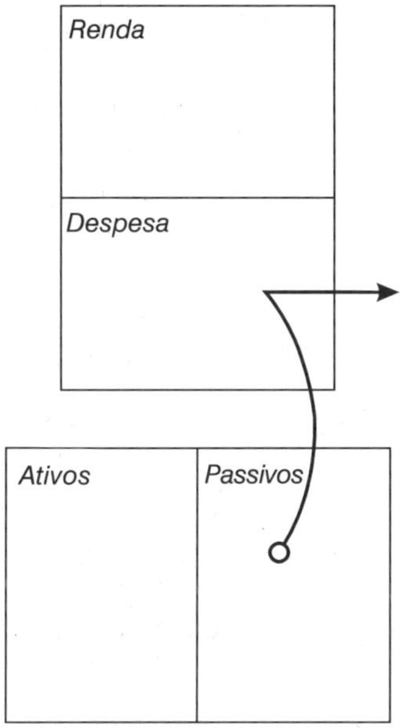

Agora que ativos e passivos foram definidos em diagramas, pode ficar mais fácil o entendimento das palavras.

Um ativo é algo que põe dinheiro no meu bolso.

Um passivo é algo que tira dinheiro do meu bolso.

Isso é o que você realmente precisa saber. Se quer ser rico, simplesmente passe sua vida comprando ativos. Se quer ser pobre ou pertencer à classe média, passe a vida comprando passivos. É o desconhecimento dessa diferença que provoca a maior parte das dificuldades financeiras na vida real.

Analfabetismo, tanto de palavras quanto de números, é a base das dificuldades financeiras. Se as pessoas têm problemas com as finanças, existem dados que elas não podem ler, sejam palavras, sejam números. Alguma coisa não está sendo compreendida. Os ricos são ricos porque eles possuem nível

* Conjunto de dialetos do norte da China que, desde 1949, constitui a base do idioma chinês padrão. (N. T.)

de alfabetização superior ao das pessoas com dificuldades financeiras. Se você quer ficar rico e conservar sua fortuna, é importante ser alfabetizado do ponto de vista financeiro, tanto em palavras quanto em números.

As setas nos diagramas representam o movimento do dinheiro ou "fluxo de caixa". Números apenas dizem pouco. Do mesmo modo como palavras apenas dizem pouco. É a história que conta. Nas demonstrações financeiras, a leitura dos números é a busca pelo enredo, pela história. A história de para onde o dinheiro está indo. Em 80% das famílias, a história financeira é um percurso de trabalho árduo na tentativa de progredir. Não porque não ganhem dinheiro. Mas porque passam suas vidas comprando passivos no lugar de ativos.

Por exemplo, este é o padrão do fluxo de caixa de uma pessoa pobre, ou de um jovem que ainda mora com os pais:

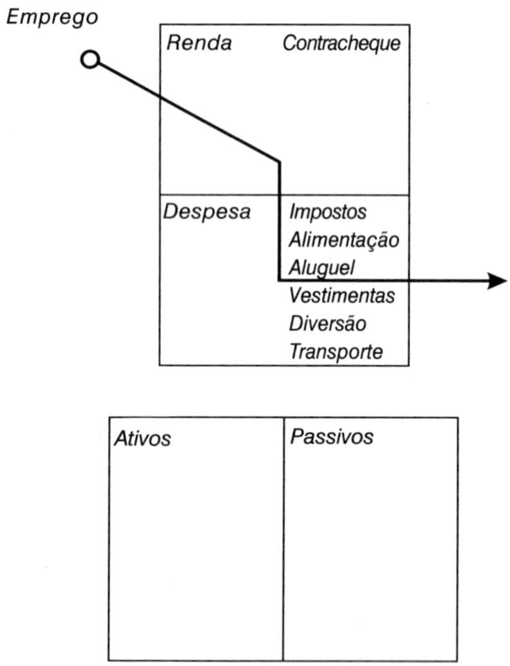

Este é o fluxo de caixa de uma pessoa da classe média:

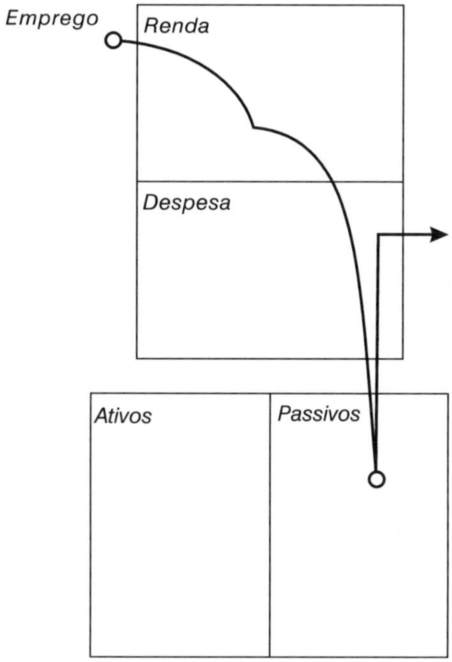

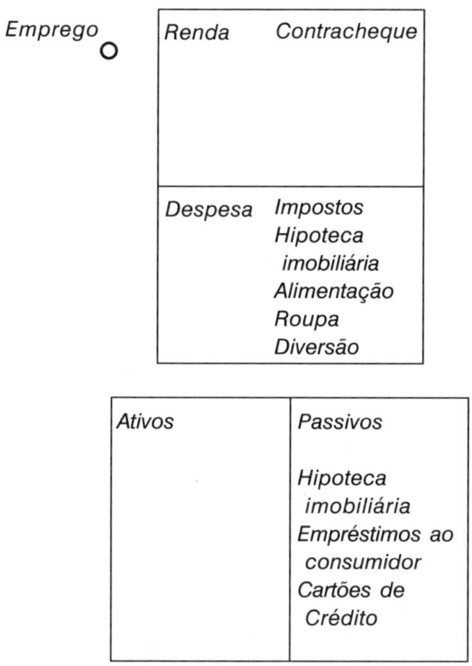

Este é o fluxo de caixa de uma pessoa rica:

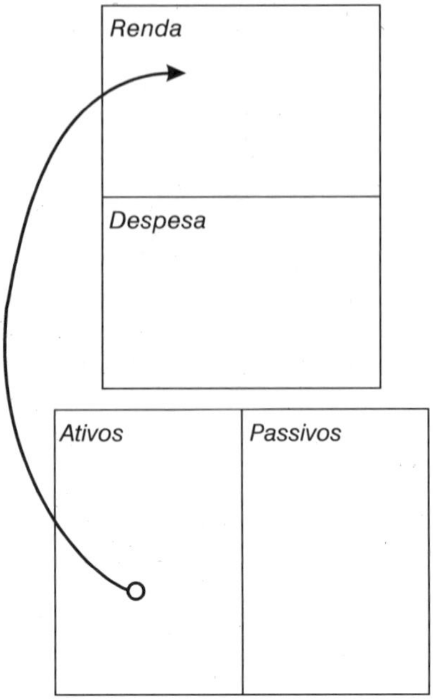

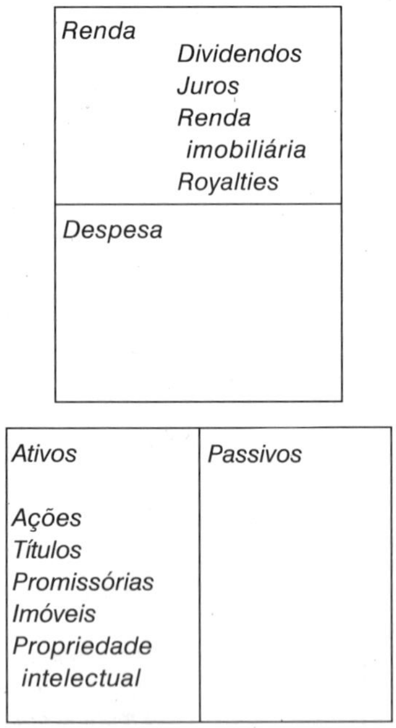

Todos esses diagramas estão obviamente bastante simplificados. Todos têm despesas de subsistência, necessidade de alimentação, moradia e vestimentas.

Os diagramas mostram o fluxo de caixa na vida de pessoas pobres, da classe média ou ricas. É esse fluxo de caixa que conta a história. É a história de como a pessoa lida com o dinheiro e o que faz depois que tem o dinheiro em mãos.

Comecei apresentando a história dos homens mais ricos dos EUA porque quis ilustrar a falha no pensamento de tantas pessoas. A falha é considerar que o dinheiro resolverá todos os problemas. É por isso que me arrepio quando ouço as pessoas perguntando como ficar ricas rapidamente. Ou por onde começar. Muitas vezes ouço "Estou endividado, por isso preciso ganhar mais dinheiro".

Porém, mais dinheiro nem sempre resolve o problema; de fato, pode até aumentá-lo. O dinheiro muitas vezes põe a nu nossas trágicas falhas humanas, é como um holofote sobre o que não sabemos. É por isso que, com muita freqüência, uma pessoa que tem um ganho súbito de dinheiro – uma herança, um aumento salarial ou um prêmio na loteria – volta rapidamente ao mesmo ponto, ou até pior, ao caos financeiro em que se encontrava antes de receber esse dinheiro. O dinheiro só acentua o padrão de fluxo de caixa que está na sua mente. Se seu padrão for gastar tudo o que ganha, o mais provável é que um aumento de dinheiro disponível apenas resulte em um aumento de despesas. Como se diz popularmente: "Um louco e seu dinheiro fazem uma grande festa."

Repeti inúmeras vezes que vamos à escola para adquirir habilidades acadêmicas e profissionais, ambas muito importantes. Na década de 1970, quando eu freqüentava o segundo grau, se alguém fosse bem-sucedido academicamente, quase imediatamente imaginava-se que esse estudante brilhante se tornaria um médico. Muitas vezes nem se perguntava se o jovem desejava ser médico. Era uma pressuposição. Era a profissão que prometia a maior recompensa financeira.

Hoje, os médicos enfrentam dificuldades financeiras que não desejaria a meus piores inimigos: seguradoras controlando os negócios, cuidados de saúde administrados, intervenção governamental e processos por erro médico, para mencionar algumas. E a garotada quer ser estrela do basquete, jogador de golfe como Tiger Woods, gênio da computação, estrela do cinema, roqueiro, rainha de beleza ou corretor de Wall Street. Isso ocorre, simplesmente, porque é aí que estão a fama, o dinheiro e o prestígio. Eis o motivo por que é tão difícil motivar a garotada na escola. Eles sabem que o sucesso profissional já não depende apenas do sucesso acadêmico como em outros tempos.

Como os estudantes deixam a escola sem habilidades financeiras, milhões de pessoas instruídas obtêm sucesso em suas profissões mas depois se deparam com dificuldades financeiras. Trabalham muito, mas não progridem. O que falta em sua educação não é saber como ganhar dinheiro, mas como gastá-lo – o que fazer com ele depois de tê-lo ganho. É o que se chama aptidão financeira – o que você faz com o dinheiro depois que o ganhou, como evitar que as pessoas lhe tirem o dinheiro, quanto tempo você o conserva e o quanto esse dinheiro trabalha para você. A maioria das pessoas não descobre o motivo de suas dificuldades financeiras porque não entende os fluxos de caixa. Uma pessoa pode ser muito instruída, bem-sucedida profissionalmente e ser analfabeta do ponto de vista financeiro. Essas pessoas muitas vezes trabalham mais do que seria necessário porque aprenderam a trabalhar arduamente mas não como fazer o dinheiro trabalhar para elas.

A história de como a conquista de um sonho financeiro se transforma em um pesadelo financeiro

A visão cinematográfica de pessoas trabalhadoras tem um padrão definido. Recém-casados, jovens altamente instruídos, felizes, mudam-se para um de seus pequenos apartamentos alugados. Imediatamente percebem que estão poupando dinheiro, porque dois podem viver com a mesma despesa de um.

O problema é que o apartamento é apertado. Decidem então poupar para comprar a casa de seus sonhos e ter filhos. Eles têm duas rendas e se concentram em suas carreiras.

Suas rendas começam a aumentar.

E a aumentar...

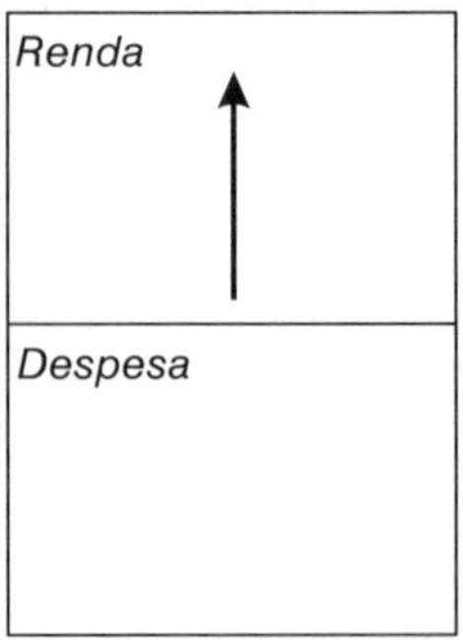

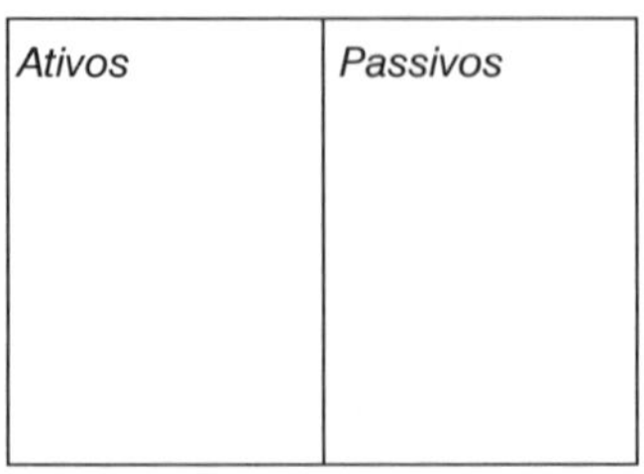

E suas despesas também.

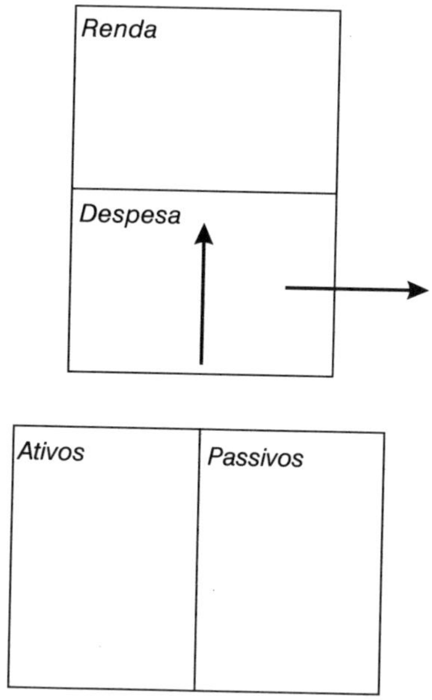

A despesa nº 1, para a maioria, são os impostos. Muitas pessoas pensam que se trata do imposto de renda, mas para grande parte dos americanos o que pesa mais é a Seguridade Social. Para o empregado parece que a contribuição para a Seguridade Social combinada com a do Medicare é de cerca de 7,5%, mas na verdade é de 15%, porque o empregador deve dar uma contrapartida do mesmo montante. Essencialmente, esse é um dinheiro que o empregador não pode pagar a você. Além disso, você ainda paga imposto de renda sobre a quantia deduzida de seus salários para a Seguridade Social,* renda essa que você nunca recebeu porque foi transferida na fonte para a Seguridade Social.

E seu passivo também aumenta.

---

* No caso brasileiro, as contribuições para a Previdência Social são deduzidas do salário antes do cálculo do imposto de renda. (N. T.)

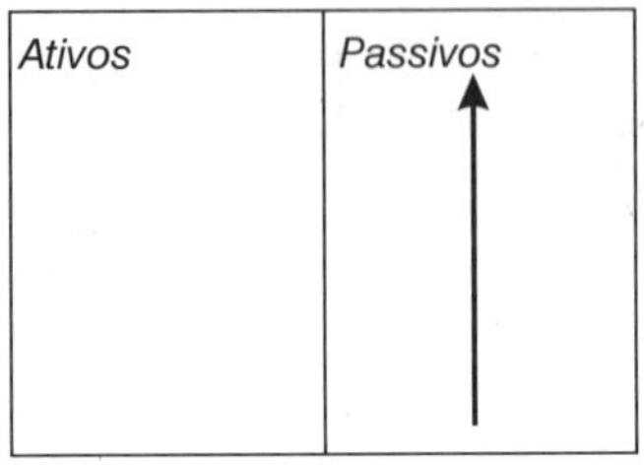

Isso é visto mais claramente se voltarmos ao caso do jovem casal. Em conseqüência do aumento de suas rendas, eles resolvem comprar a casa de seus sonhos. Uma vez adquirida, eles pagam um novo imposto, o chamado imposto de propriedade. Então, eles compram um carro novo, novos móveis e novos eletrodomésticos para montar o novo lar. E de repente acordam e a coluna do passivo está atulhada de dívidas hipotecárias e do cartão de crédito.

Agora eles estão aprisionados na Corrida dos Ratos. Chega o primeiro filho. Eles trabalham ainda mais. Mais dinheiro e mais impostos, a chamada escalada da alíquota. Um cartão de crédito chega pelo correio. Eles o usam. Mais despesa. Uma financeira telefona e diz que seu maior "ativo", sua casa, teve seu valor aumentado. A empresa oferece um empréstimo de "consolidação", porque sua ficha é tão boa, e lhes diz que o mais inteligente a fazer é zerar os altos juros ao consumidor liquidando seu débito junto ao cartão de crédito. E, além de tudo, os juros pagos sobre a hipoteca imobiliária podem ser deduzidos do imposto de renda. Eles aceitam e zeram os débitos de seus cartões de crédito onerados pelos elevados juros ao consumidor. Eles suspiram aliviados. A dívida com o cartão de crédito está encerrada. Agora suas dívidas de consumo estão somadas à hipoteca imobiliária de sua casa própria. As prestações mensais são reduzidas porque ampliaram o financiamento para trinta anos. É atitude muito inteligente.

O vizinho os convida para irem às compras – afinal está começando a liquidação do Memorial Day.* Uma chance de poupar algum dinheiro. Eles

* Importante feriado americano em que se homenageia os mortos nas guerras. É comemorado na última segunda-feira de maio. (N. T.)

se dizem: "Não vamos comprar nada. Só vamos olhar." Mas, para a eventualidade de achar uma boa oferta, põem aquele novo cartão de crédito na carteira.

Encontro este jovem casal a toda hora. Seus nomes mudam, mas seu dilema financeiro é o mesmo. Eles vêm a minhas palestras para ouvir o que eu tenho a dizer. Perguntam-me: "O senhor pode nos dizer como ganhar mais dinheiro?" Seus hábitos de compra os levam a buscar mais renda.

Eles nem sabem que o problema está na forma que escolheram para gastar o dinheiro que têm. São provocados por seu analfabetismo financeiro e por não entenderem a diferença entre um ativo e um passivo.

Raramente os problemas de dinheiro das pessoas são resolvidos com mais dinheiro. A inteligência resolve os problemas. Um amigo meu costuma repetir uma frase para as pessoas endividadas.

"Se você descobre que se enterrou num buraco... pare de cavar."

Quando criança, meu pai dizia freqüentemente que os japoneses conheciam três poderes: "O poder da espada, o poder da jóia e o poder do espelho."

A espada simboliza o poder das armas. Os EUA têm gastado trilhões de dólares em armamento e, por isso, é a presença militar suprema do mundo.

A jóia representa o poder do dinheiro. Há uma certa verdade no dito: "Lembre-se da regra de ouro. Quem tem o ouro faz as regras."

O espelho significa o poder do autoconhecimento. Esse autoconhecimento, de acordo com a lenda japonesa, era o mais apreciado dos três.

Os pobres e a classe média muitas vezes permitem que o poder do dinheiro os controle. Ao simplesmente acordar e trabalhar mais arduamente, deixando de perguntar-se a si mesmos se o que fazem tem sentido, eles dão um tiro no próprio pé na hora em que saem de casa todos os dias. Por não entendê-lo plenamente, a vasta maioria das pessoas permite que o formidável poder do dinheiro exerça o controle sobre elas. Contudo, o poder do dinheiro é usado contra elas.

Se usassem o poder do espelho, teriam se perguntado: "Isto tem sentido?" Com muita freqüência, em vez de confiar em sua sabedoria íntima, a maioria das pessoas acompanha a multidão. Fazem apenas o que todo mundo faz. Conformam-se em vez de questionar. Muitas vezes, repetem sem pensar o que lhes foi dito. Idéias como "diversifique" ou "sua casa é um ativo". "Sua casa é o maior investimento." "Você terá uma redução nos impostos endividando-se mais." "Consiga um emprego seguro." "Não assuma riscos."

Diz-se que, para muitas pessoas, o medo de falar em público é maior do que o medo da morte. De acordo com psiquiatras, o medo de falar em público é provocado pelo medo do ostracismo, o medo de aparecer, o medo das críticas, o medo do ridículo, o medo de se tornar um pária. O medo de ser diferente impede que muitas pessoas busquem novas formas de resolver seus problemas.

É por isso que meu pai instruído dizia que os japoneses davam o maior valor ao poder do espelho, porque somente quando nós, como seres humanos, nos olhamos no espelho, encontramos a verdade. E a principal razão pela qual as pessoas dizem "Procure segurança" é o medo. Isso vale para tudo, esporte, relacionamentos, carreira ou dinheiro.

É esse mesmo medo, o medo do ostracismo, que leva as pessoas a se conformarem e a não questionarem opiniões aceitas ou tendências generalizadas. "Sua casa é um ativo." "Faça um empréstimo consolidando suas dívidas e livre-se delas." "Trabalhe com mais afinco." "É uma promoção." "Algum dia chego a vice-presidente." "Poupe." "Quando tiver um aumento, vou comprar uma casa maior." "Fundos mútuos são seguros." "Bonecas *Tickle Me Elmo* estão em falta, mas ainda tenho uma reservada para um cliente que não apareceu."

Muitos dos grandes problemas financeiros são causados pelo desejo de se acompanhar a maioria e não querer ficar atrás do vizinho. Ocasionalmente, todos nós precisamos nos olhar no espelho e seguir nossa sabedoria interior e não nossos medos.

Quando Mike e eu estávamos com uns dezesseis anos, começamos a ter problemas na escola. Não éramos maus garotos. Apenas começamos a nos distanciar da maioria. Trabalhávamos para o pai do Mike depois das aulas e nos fins de semana. Muitas vezes, Mike e eu passávamos horas depois do trabalho sentados junto do seu pai enquanto este se reunia com diretores de banco, advogados, contadores, corretores, investidores, gerentes e empregados. Ele era um homem que deixara a escola aos treze anos, e agora dirigia, instruía, comandava e questionava pessoas com alto nível de escolaridade. Elas acorriam a seu chamado e se preocupavam quando ele não as aprovava.

Esse era um homem que não tinha acompanhado a multidão, um homem que pensava por si próprio e detestava as palavras "Temos que fazer assim, porque todos fazem assim". Ele também odiava ouvir "Não é possível". Se você quisesse levá-lo a fazer alguma coisa bastava dizer "Acho que o senhor não consegue isso".

Mike e eu aprendemos mais assistindo a essas reuniões do que em anos de escola, incluindo a faculdade. O pai de Mike não tinha uma instrução formal, mas tinha conhecimentos financeiros e, em conseqüência, era bem-sucedido. Ele costumava repetir para nós: "Uma pessoa inteligente contrata pessoas mais inteligentes do que ela mesma." Portanto, Mike e eu tínhamos o privilégio de passar horas ouvindo e, no processo, aprendendo com pessoas inteligentes.

Mas, por causa disso, Mike e eu não podíamos acomodar-nos ao dogma padrão que nossos professores pregavam. E isso criava problemas. Sempre que um professor falava "Se vocês não tirarem boas notas, vocês não se sairão bem no mundo real", Mike e eu franzíamos as sobrancelhas. Quando nos diziam para seguir as normas e não nos desviarmos das regras, víamos por que esse processo de ensino desestimulava de fato a criatividade. Começamos a entender porque pai rico nos dizia que as escolas se destinavam a formar bons empregados em lugar de bons empregadores.

De vez em quando, Mike e eu perguntávamos a nossos professores como se aplicava na prática o que estávamos estudando, ou por que não estudávamos o dinheiro e como ele funcionava. Esta última pergunta era muitas vezes respondida com a afirmação de que o dinheiro não era importante, que se nós tivéssemos uma educação excelente, o dinheiro viria atrás.

Quanto mais sabíamos sobre o poder do dinheiro, mais nos distanciávamos de nossos mestres e colegas.

Meu pai instruído nunca me pressionava em relação às notas. Muitas vezes me perguntei por quê. Ele, porém, começou a discutir sobre dinheiro. Com dezesseis anos, já tinha provavelmente uma base de conhecimentos sobre dinheiro melhor do que minha mãe e meu pai. Eu sabia escriturar livros contábeis, ouvia especialistas em tributação, advogados especializados em questões empresariais, gerentes de banco, corretores imobiliários e investidores. Meu pai falava com professores.

Certo dia meu pai falou que nossa casa era seu maior investimento. Uma discussão um tanto desagradável teve início quando eu lhe mostrei por que não achava que uma casa fosse um bom investimento.

O diagrama a seguir ilustra a diferença na percepção de meu pai rico e de meu pai pobre no que se referia a casas. Um pensava que sua casa era um ativo, o outro que era um passivo.

Pai rico

Ativo	Passivo
	Casa

Pai pobre

Ativo	Passivo
Casa	

Lembro que tracei o diagrama a seguir para mostrar a meu pai a direção dos fluxos de caixa. Também lhe mostrei as despesas que acompanhavam a posse de uma casa. Uma casa maior representa despesas maiores e o fluxo de caixa sai pela coluna das despesas.

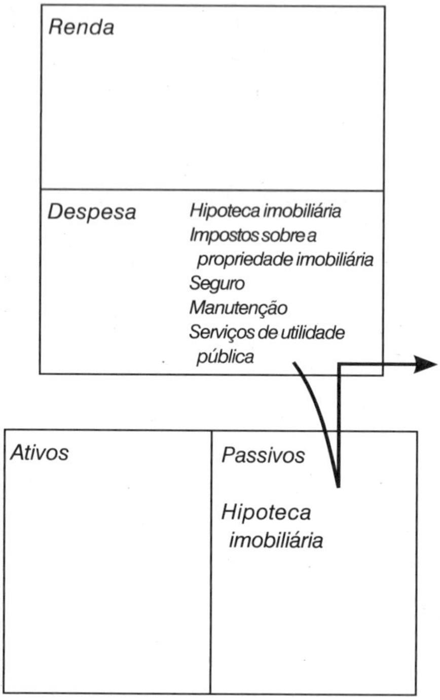

Atualmente, ainda ouço contestações à idéia de que uma casa não é um ativo. E sei que para a maioria das pessoas, ela é não só seu maior investimento como também seu sonho. E sermos donos de nossa moradia é melhor do que nada. Eu ofereço simplesmente uma maneira alternativa de encarar esse dogma popular. Se minha mulher e eu fôssemos comprar uma casa maior, mais vistosa, nós a encararíamos não como um ativo mas como um passivo, já que esta iria tirar dinheiro de nossos bolsos.

Aqui vai o argumento que desenvolvo. Na verdade, não espero que a maioria das pessoas concorde com ele, uma vez que um lar agradável é um fator emocional. E, no que se refere a dinheiro, grandes emoções tendem a reduzir a inteligência financeira.

1. Em relação a casas, destaco que em geral as pessoas passam a vida pagando por uma moradia que nunca será delas. Em outras palavras, compra-se uma casa nova a cada tantos anos, incorrendo,

cada vez, em um novo empréstimo de trinta anos sobre a casa anterior.

2. Apesar de poderem deduzir os juros da hipoteca imobiliária para fins de imposto de renda, as pessoas pagam todas as demais despesas com o dinheiro que sobra depois de pago o imposto, mesmo depois que liquidam a hipoteca.

3. Impostos sobre a propriedade. Os pais de minha mulher ficaram chocados quando os impostos sobre a propriedade relativos a sua residência aumentaram para US$1.000 mensais. Isso ocorreu após sua aposentadoria, de modo que o aumento pressionou seu orçamento e eles se viram obrigados a mudar de casa.

4. O valor dos imóveis nem sempre aumenta. Em 1997, enquanto escrevo este livro, eu tenho amigos que devem um milhão de dólares por imóveis que só conseguiriam vender por US$700 mil.

5. As maiores perdas são as das oportunidades que não foram aproveitadas. Se todo o seu dinheiro está comprometido com o imóvel onde mora, você pode ser obrigado a trabalhar mais porque todo o seu dinheiro continua saindo na coluna das despesas (o padrão clássico do fluxo de caixa da classe média) em lugar de aumentar a coluna dos ativos. Se um jovem casal destinasse uma soma maior a aquisição de ativos, mais tarde teria maiores facilidades, especialmente estaria preparado para pagar os estudos superiores de seus filhos. Seus ativos teriam aumentado e estariam disponíveis para cobrir despesas. Com excessiva freqüência, um imóvel residencial só serve como meio de incorrer em empréstimos hipotecários para pagar despesas crescentes.

Em suma, o resultado final de optar por possuir um imóvel residencial caro demais, em lugar de começar a formar um portfólio de ativos mais cedo, prejudica o indivíduo de três formas:

1. Perda de tempo, porque outros ativos poderiam ter registrado aumento em seu valor.

2. Perda de capital adicional, que poderia ter sido investido em vez de se ter pago as altas despesas de manutenção relacionadas diretamente ao imóvel residencial.

3. Perdas na instrução. Com muita freqüência, os casais consideram seu imóvel residencial, as poupanças e o plano de aposentadoria como o total de sua coluna de ativos. Como não têm dinheiro para investir, eles simplesmente não investem. Isso lhes custa a *experiência* do investimento. Quase nunca conseguem tornar-se o que o mundo dos investimentos denomina um "investidor sofisticado". E os melhores investimentos são em geral oferecidos aos "investidores sofisticados" que, por sua vez, vendem-nos às pessoas que buscam a segurança.

A demonstração financeira de meu pai instruído é a melhor demonstração da vida de alguém que está na Corrida dos Ratos. Suas despesas sempre acompanharam sua renda, de modo que nunca investiu em ativos. Em conseqüência, seus passivos, como a hipoteca imobiliária e as dívidas do cartão de crédito, eram maiores que seus ativos. A figura a seguir fala mais do que mil palavras.

Demonstração financeira de pai pobre

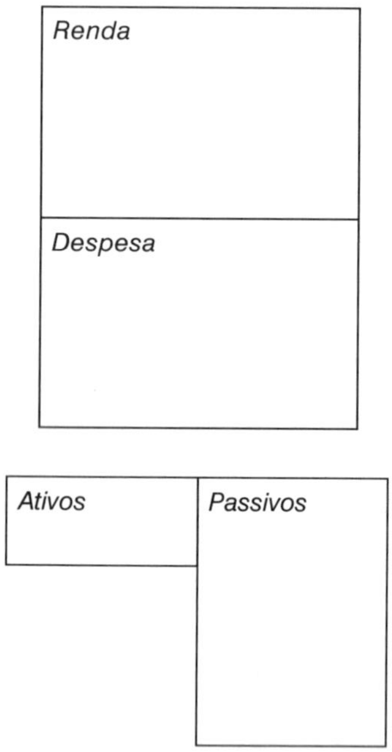

A demonstração financeira pessoal de pai rico, por outro lado, reflete os resultados de uma vida dedicada ao investimento e à minimização do passivo.

Demonstração financeira de pai rico

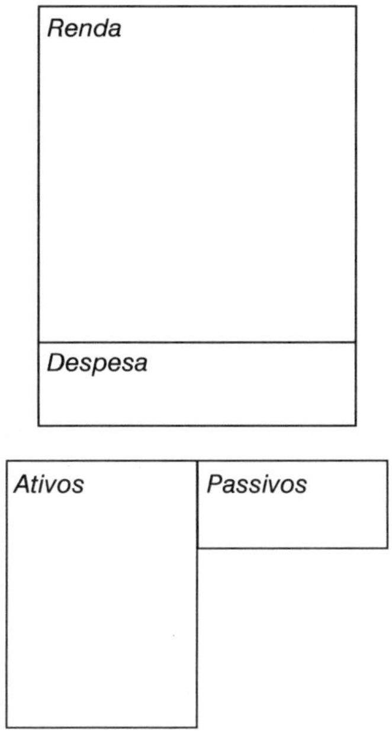

Uma revisão da demonstração financeira de meu pai rico mostra por que os ricos ficam mais ricos. A coluna dos ativos gera renda mais do que suficiente para cobrir as despesas, com o saldo reinvestido na coluna dos ativos. A coluna dos ativos continua crescendo e, portanto, a renda gerada continua crescendo com eles.

O resultado é: os ricos ficam mais ricos!

Por que os ricos ficam mais ricos

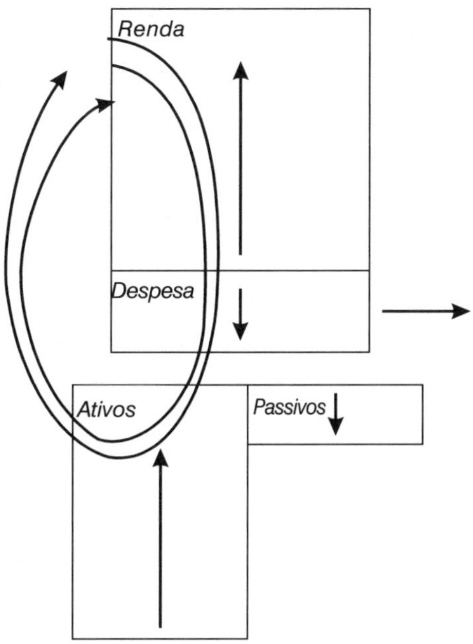

A classe média se encontra em um estado de constantes dificuldades financeiras. Sua renda principal é gerada por salários e quando seus salários aumentam, os impostos também aumentam. Suas despesas tendem a crescer no mesmo montante de seus salários, daí a expressão "Corrida dos Ratos". Eles consideram seu imóvel residencial como seu principal ativo, em lugar de investir em ativos geradores de renda.

Por que a classe média tem dificuldades financeiras

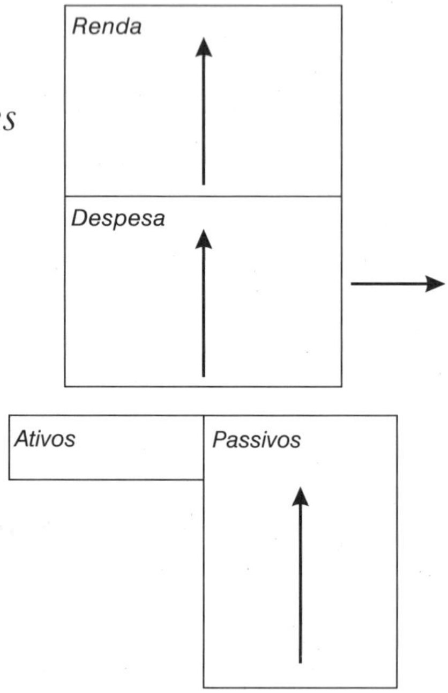

O padrão de se considerar o imóvel residencial como investimento e a filosofia de que um aumento de salário significa que você pode comprar uma casa maior ou gastar mais é a base do atual endividamento da sociedade. Este processo de despesa crescente faz com que as famílias se endividem mais e tenham mais incerteza financeira, mesmo quando progridem no emprego e recebem aumentos salariais regulares. Esta é uma vida muito arriscada decorrente da precária instrução financeira.

A maciça perda de empregos da década de 1990 – o *downsizing* das empresas – trouxe à luz a instabilidade financeira da classe média. De repente, os planos de pensão das empresas estavam sendo substituídos por planos 401k.* A Seguridade Social está obviamente com problemas e não pode ser considerada como uma alternativa de aposentadoria. O pânico se instalou na classe média. O bom, nestes dias, é que muitas dessas pessoas reconheceram esses problemas e começaram a aplicar em fundos mútuos. Este aumento nos investimentos é responsável em boa medida pela acentuada alta do mercado de ações. Hoje, mais e mais fundos mútuos estão sendo criados em resposta à demanda da classe média.

Os fundos mútuos são populares porque representam segurança. Os aplicadores médios dos fundos de pensão estão demasiadamente ocupados trabalhando para pagar impostos e hipotecas imobiliárias, e têm dificuldade em poupar de modo a poder pôr seus filhos na faculdade e liquidar as dívidas do cartão de crédito. Não têm tempo de aprender a investir, de modo que confiam na experiência do administrador do fundo mútuo. Como o fundo mútuo também inclui muitos tipos diferentes de investimento, tem-se uma sensação de segurança porque o fundo é "diversificado".

Este grupo da classe média instruída aceita o dogma da "diversificação" defendido por corretores de fundos mútuos e consultores financeiros. Procure a segurança. Evite o risco.

A verdadeira tragédia, contudo, é a falta de instrução financeira precoce, responsável pelo risco enfrentado pela pessoa comum da classe média. A razão é que precisam procurar a segurança porque sua situação financeira é, na melhor das hipóteses, precária. Seus balanços não fecham. Estão atulhados de passivos, sem verdadeiros ativos para gerar renda. Em geral, sua única fonte de renda é o contracheque. Seu modo de vida depende totalmente do empregador.

Sendo assim, quando os verdadeiros "negócios de sua vida" aparecem, essas mesmas pessoas não podem aproveitar a oportunidade. Elas devem procurar a segurança, porque estão trabalhando muito, pagando impostos máximos e assoberbadas de dívidas.

Como disse no início da seção, a regra mais importante é conhecer a diferença entre um ativo e um passivo. Uma vez que você consiga entender a diferença, concentre seus esforços na compra exclusiva de ativos geradores de renda. Essa é a melhor maneira de dar o primeiro passo para se tornar rico. Continue fazendo isso e sua coluna dos ativos crescerá. Concentre-se em reduzir passivos e despesas. Isso aumentará o dinheiro disponível para continuar aumentando a coluna dos ativos. Logo, a base de ativos será tão profunda que você poderá permitir-se olhar para investimentos mais especulativos. Investimentos que podem ter retornos que variam de 100% ao infinito. Investimentos em que US$5 mil podem se transformar rapidamente em US$1 milhão ou mais. Investimentos que a classe média considera "demasiado arriscados". O investimento não é arriscado. É a falta de simples inteligência financeira, a começar pela alfabetização financeira, que leva o indivíduo a ser "muito arriscado".

---

* Planos de contribuição definida em que a aposentadoria resulta do montante acumulado ao longo dos anos e que são o oposto dos antigos planos de aposentadoria em que o benefício era definido. (N. T.)

Se você fizer o que as massas fazem, você estará na seguinte situação.

Renda	Trabalha para o patrão
Despesa	**Trabalha para o governo**

Ativos	Passivos
	Trabalha para o banco

Como empregado possuidor da casa própria, seus esforços no trabalho em geral resultam no seguinte:

1. Você trabalha para alguém. Os esforços e o sucesso da maioria das pessoas assalariadas ajudarão a garantir o sucesso, o enriquecimento e a aposentadoria do dono da empresa e de seus acionistas.

2. Você trabalha para o governo. O governo fica com uma parte de seu contracheque, antes mesmo que você veja o dinheiro. Ao trabalhar mais, você simplesmente aumenta o montante de impostos que o governo arrecada – a maioria das pessoas trabalha de janeiro a maio apenas para o governo.

3. Você trabalha para o banco. Depois dos impostos, sua maior despesa é, em geral, a hipoteca imobiliária e a conta do cartão de crédito.

O problema decorrente de simplesmente trabalhar mais é que cada uma dessas três parcelas leva consigo uma parte maior de seu esforço. Você precisa aprender a fazer com que seus maiores esforços beneficiem diretamente você e sua família.

Uma vez que você decidiu cuidar de seus próprios problemas, como determinar seus objetivos? É necessário, em geral, dedicar-se à sua profissão e usar os salários recebidos para financiar a aquisição de ativos.

À medida que os ativos crescem, como medir a extensão de seu sucesso: quando alguém percebe que está rico, que tem fortuna? Da mesma maneira que tenho minhas definições de ativos e passivos, também tenho minha própria definição para riqueza. Na verdade, eu a tomei emprestada de alguém chamado Buckminster Fuller. Alguns o consideram um charlatão e outros um gênio vivo. Anos atrás ele criou um auê entre os arquitetos ao solicitar a patente para algo chamado um "domo geodésico". Mas, ao fazer isso, ele também falou algo sobre a riqueza. Parecia à primeira vista muito confuso, mas depois de relê-lo algumas vezes começou a fazer sentido: a riqueza é a capacidade de uma pessoa sobreviver tantos dias a mais ... ou se eu parar de trabalhar hoje, por quanto tempo poderei sobreviver?

Ao contrário do patrimônio líquido – a diferença entre ativos e passivos, que freqüentemente está repleta com o lixo caro e as opiniões de pessoas sobre o valor das coisas – esta definição cria a possibilidade de desenvolver uma mensuração verdadeiramente acurada. Poderia assim medir e saber realmente em que pé estou em termos de meu objetivo de tornar-me financeiramente independente.

Embora o patrimônio líquido freqüentemente inclua ativos que não geram dinheiro, como objetos comprados e agora abandonados num canto da garagem, a riqueza mede quanto dinheiro seu dinheiro está gerando e, portanto, sua sobrevivência financeira.

A riqueza é a medida do fluxo de caixa gerado pela coluna dos ativos em comparação com a coluna das despesas.

Vejamos um exemplo. Digamos que o fluxo de caixa da minha coluna de ativos gere US$1 mil por mês, e que eu tenha despesas mensais de US$2 mil. Qual é a minha riqueza?

Voltemos à definição de Buckminster Fuller. Usando essa definição, quantos dias para a frente posso sobreviver? Consideremos um mês de trinta dias. Por essa definição, eu tenho um fluxo de caixa suficiente para meio mês.

Quando eu tiver alcançado um fluxo de caixa gerado por meus ativos de US$2 mil, então eu serei abastado.

Ainda não estou rico, mas sou abastado. Agora eu tenho uma renda gerada por ativos, a cada mês, que cobre totalmente minhas despesas mensais. Se eu desejo aumentar essas despesas, preciso primeiro aumentar o fluxo de caixa gerado por meus ativos para manter esse nível de vida. Observe que nesse ponto eu não dependo mais de meu salário. Eu me concentro com sucesso em construir uma coluna de ativos que me tornou financeiramente independente. Se eu largar meu emprego hoje, eu poderei cobrir minhas despesas mensais com o fluxo de caixa gerado por meus ativos.

Meu próximo objetivo poderia ser empregar o excedente de meu fluxo de caixa no reinvestimento, em mais ativos. Quanto mais dinheiro for destinado para a coluna dos ativos, mais esta crescerá. Quanto mais meus ativos crescerem, mais aumentará meu fluxo de caixa. E enquanto eu mantiver minhas despesas menores do que o fluxo de caixa gerado por esses ativos, eu me tornarei mais rico, com mais e mais fontes de renda além de meu trabalho físico.

Enquanto este processo de reinvestimento continuar, estarei no caminho do enriquecimento. A verdadeira definição de riqueza depende de quem a define, você nunca poderá ser rico demais.

Lembre desta observação simples:

Os ricos compram ativos.

Os pobres só têm despesas.

A classe média compra passivos pensando que são ativos.

E como eu cuido dos meus negócios? Qual é a resposta? Ouça o fundador do McDonald's.

Capítulo Quatro

Lição 3:

Cuide se seus negócios

Em 1974, Ray Kroc, fundador do McDonald's, foi convidado a fazer uma palestra para a turma de MBA da Universidade do Texas, em Austin. Um querido amigo meu, Keith Cunningham, era aluno dessa turma. Depois de uma exposição forte e inspiradora, os estudantes perguntaram a Ray se gostaria de juntar-se a eles num bar que freqüentavam para tomar uma cerveja. Ray aceitou gentilmente.

– Qual é o meu negócio? – perguntou Ray, quando todo o mundo já estava com seu copo de cerveja.

– Todos riram – conta Keith. – A maioria da turma pensou que Ray estivesse brincando.

Ninguém respondeu e Ray repetiu a pergunta.

– Em que negócio vocês pensam que eu atuo?

Os estudantes soltaram uma gargalhada e finalmente uma alma corajosa gritou:

– Ray, não há ninguém no mundo que não saiba que você está no ramo dos hambúrgueres.

Ray deu uma risada.

– Achei que vocês fossem responder isso mesmo – fez uma pausa e disse rapidamente: – Senhoras e senhores, eu não atuo no ramo de hambúrgueres. Meu negócio são imóveis.

Keith conta que Ray passou um bom tempo explicando seu ponto de vista. Em seu plano de negócios, Ray sabia que o principal foco era a venda de franquias de hambúrguer, mas nunca perdeu de vista a localização de cada franquia. Ele sabia que os imóveis e sua localização eram o mais importante fator de sucesso de cada franquia. Basicamente, a pessoa que comprava a franquia estava também pagando, comprando, o terreno em que se situava a franquia da organização de Ray Kroc.

O McDonald's é hoje o maior proprietário individual de terrenos no mundo, superando até a Igreja Católica. Atualmente, o McDonald's é proprietário de alguns dos cruzamentos e esquinas mais valiosos não só dos EUA como também de outras partes do mundo.

Keith diz que essa foi uma das mais importantes lições que recebeu em sua vida. Atualmente, Keith é proprietário de lava-carros, mas seu negócio são os terrenos que estão por baixo desses lava-carros.

O capítulo anterior terminou com diagramas ilustrando que a maioria das pessoas trabalha para todo o mundo menos para elas próprias. Elas trabalham, em primeiro lugar, para os donos das empresas, depois para o governo ao pagar impostos e finalmente para o banco onde fizeram a hipoteca.

Quando garoto, não havia nenhum McDonald's por perto. Contudo, meu pai rico ensinou a mim e a Mike a mesma lição que Ray Kroc deu na Universidade do Texas. É a lição 3 dos ricos.

O segredo é: "Cuide de seu negócio." As dificuldades financeiras são muitas vezes o resultado direto de se trabalhar toda a vida para outras pessoas. Muita gente chegará sem nada ao fim de sua vida de trabalho.

Novamente, uma imagem vale mil palavras. Aqui está o diagrama da demonstração de renda e do balanço que descrevem o conselho de Ray Kroc.

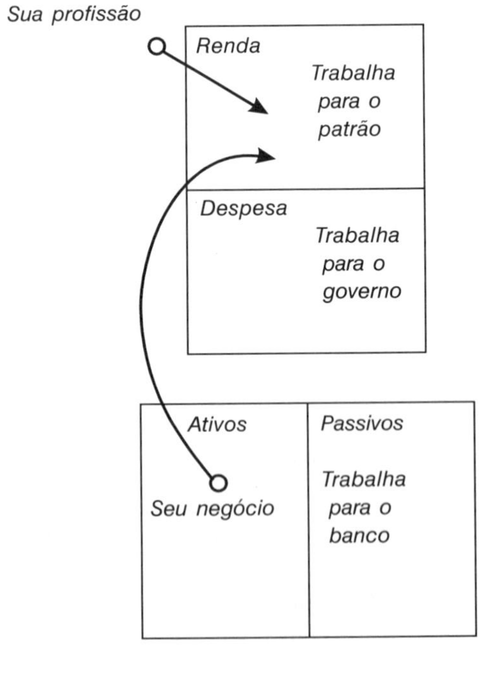

Nosso atual sistema de ensino se concentra em preparar a juventude para os empregos por meio do desenvolvimento de habilidades acadêmicas. Suas vidas girarão em torno de seus salários ou, como mostrado anteriormente, na coluna da renda. Depois de desenvolvidas as habilidades acadêmicas, os estudantes vão para níveis mais elevados de ensino a fim de desenvolver suas habilidades profissionais. Eles estudam para tornar-se engenheiros, cientistas, cozinheiros, policiais, artistas, escritores etc. Suas habilidades profissionais lhes permitirão ingressar na força de trabalho e trabalhar por dinheiro.

Há uma grande diferença entre sua profissão e seu negócio. Muitas vezes pergunto às pessoas: "Qual é o seu negócio?" E elas respondem: "Sou banqueiro."* Então lhes pergunto se eles são donos do banco? Em geral respondem: "Não, eu trabalho para o banco".

Nesse caso, está-se confundindo profissão com negócio. Sua profissão pode ser a de banqueiro, mas elas ainda não são donas do negócio. Ray Kroc sabia claramente a diferença entre sua profissão e seu negócio. Em uma época ele vendia misturadores de *milkshake*, e pouco depois vendia franquias de hambúrguer. Mas enquanto sua profissão era vender franquias de hambúrguer, seu negócio era acumular imóveis geradores de renda.

Um dos problemas com a escola é que freqüentemente você se transforma naquilo que você estuda. Se você estuda, digamos, culinária, você se torna um *chef*. Se você estuda direito, você se torna um advogado, e se você estuda mecânica de automóveis, você se torna um mecânico. O erro de tornar-se aquilo para o qual você estuda é que muitas pessoas se esquecem de cuidar de seu negócio. Elas passam a vida cuidando dos negócios de outras pessoas e enriquecendo essa pessoa.

Para ter segurança financeira, a pessoa precisa cuidar de seu negócio. Seu negócio gira em torno de sua coluna de ativos, em oposição a sua coluna de renda. Como dito anteriormente, a regra nº 1 é conhecer a diferença entre um ativo e um passivo e comprar ativos. Os ricos se concentram em sua coluna de ativos enquanto os demais se preocupam com sua demonstração de renda.

É por isso que ouvimos com tanta freqüência: "Preciso de um aumento." "Se pelo menos conseguisse uma promoção." "Vou voltar a estudar para poder procurar um emprego melhor." "Vou fazer hora-extra." "Quem sabe consigo mais um emprego." "Vou me demitir em duas semanas, encontrei um emprego com salário maior."

Em alguns círculos, estas são idéias sensatas. Contudo, se prestar atenção em Ray Kroc, verá que ainda não está cuidando de seu negócio. Essas

*No inglês, usa-se a mesma palavra, *banker*, para denominar o banqueiro e o gerente do banco. (N. T.)

idéias todas ainda focam a coluna da renda e só ajudarão a pessoa a ter mais segurança financeira se o dinheiro adicional for utilizado na aquisição de ativos geradores de renda.

A principal razão pela qual pobres e classe média são conservadores, do ponto de vista financeiro – o que quer dizer "não posso me arriscar" – é que eles não têm um embasamento financeiro. Apenas agarram-se a seus empregos. Fazem o que é seguro.

Quando o corte de pessoal se tornou a coisa *in* a ser feita, milhões de trabalhadores descobriram que seu chamado maior ativo, sua residência, os estava comendo vivos. Seu ativo, chamado de casa, ainda lhes custava dinheiro a cada mês. Seu carro, outro "ativo" os devorava. Os tacos de golfe guardados na garagem e que tinham custado US$1 mil já não valiam isso. Sem segurança no emprego, não tinham nada a que recorrer. O que eles pensavam serem ativos não os podiam ajudar a sobreviver em uma época de crise financeira.

Imagino que todos nós já tenhamos preenchido uma ficha de cadastro para solicitar um financiamento bancário para comprar um imóvel ou um automóvel. É bem interessante olhar para o item "patrimônio líquido". É interessante porque é isso que os bancos e as práticas contábeis aceitam como ativo de uma pessoa.

Certo dia, minha posição financeira não parecia muito boa para obter um crédito, de modo que incluí meus tacos de golfe, minha coleção de arte, livros, aparelho de som, televisão, ternos Armani, relógios de pulso, sapatos e outros objetos pessoais a fim de aumentar o montante da coluna dos ativos. O empréstimo, entretanto, foi recusado porque eu tinha muito dinheiro investido em imóveis. Os responsáveis pela concessão de empréstimos não gostaram do fato de eu obter uma parte tão grande de minha renda com apartamentos alugados. Eles queriam saber por que eu não tinha um emprego normal, com um salário. Eles não questionaram os ternos Armani, os tacos de golfe ou a coleção de arte. A vida, às vezes, é dura para quem não se encaixa no perfil "padrão".

Tenho arrepios sempre que ouço alguém falar para mim que seu patrimônio líquido é de um milhão de dólares ou de US$100 mil, ou qualquer outro valor. Um dos motivos por que o patrimônio líquido não é um indicador acurado é simplesmente porque no momento em que você começa a vender seus ativos, seus ganhos são tributados.

Muitas pessoas se envolvem em dificuldades financeiras quando sua renda é reduzida. Elas tomam empréstimos, elas vendem seus ativos. Primeiro, seus ativos em geral só podem ser vendidos por uma fração do valor declarado em seu balanço pessoal. Ou se houver um ganho na venda desses ativos, esse ganho será tributado. De modo que repito, o governo pega uma parte dos ganhos, reduzindo assim o montante disponível para auxiliá-las a sair da dívida. Por isso, costumo dizer que o patrimônio líquido de alguém freqüentemente "vale menos" do que ele pensa.

Comece a cuidar de seus negócios. Fique no seu emprego, mas comece a comprar ativos reais, não passivos ou objetos pessoais que não têm valor real, uma vez que você os leva para dentro de casa. Um carro novo perde cerca de 25% do preço que você paga no momento em que sai da concessionária. Não é um ativo verdadeiro, mesmo que seu banco permita que você o liste entre seus ativos. Meu novo taco de titânio que custou US$400, passou a valer US$150 no momento em que pisei no campo de golfe.

Para adultos, a lição é manter reduzidas as despesas, reduzir os passivos e formar diligentemente uma sólida base de ativos. Para os jovens, que ainda não saíram de casa, é importante que seus pais lhes ensinem a diferença entre ativos e passivos. Faça com que seus filhos comecem a construir uma firme base de ativos antes que saiam de casa, casem, comprem casa, tenham filhos e se encontrem em uma situação financeira difícil, agarrando-se a um emprego e comprando tudo a crédito. Vejo muitos jovens casarem e se verem aprisionados num estilo de vida que não lhes permite sair do atoleiro das dívidas durante a maior parte dos anos de trabalho.

Freqüentemente, quando o último filho sai de casa, os pais constatam que não se prepararam adequadamente para a aposentadoria e começam a tentar pôr de lado algum dinheiro. Então, seus próprios pais adoecem e eles se deparam com novas dificuldades.

Qual o tipo de ativo que sugiro a você ou a seus filhos adquirirem? No meu mundo, ativos reais se agrupam em várias categorias diferentes:

1. Negócios que não exigem minha presença. Sou o dono deles, mas eles são administrados por outras pessoas. Se eu tiver que trabalhar neles, não é um negócio. Torna-se uma profissão.

2. Ações.

3. Títulos.

4. Fundos mútuos.

5. Imóveis que geram renda.

6. Promissórias.

7. Royalties de propriedade intelectual como música, escritos, patentes.

8. Tudo o que tenha valor, gere renda ou se valorize e tenha um mercado líquido.

Quando garoto, meu pai instruído me incentivava a procurar um emprego seguro. Meu pai rico, por outro lado, me incentivava a começar a adquirir ativos que me agradassem. "Se você não gostar deles, você não cuidará deles." Comecei a adquirir imóveis simplesmente porque adoro prédios e terrenos. Gosto de comprá-los. Poderia buscá-los o dia todo. Quando surgem problemas, não são tão graves que mudem meu apreço pelos imóveis. Pessoas que detestam imóveis não deveriam comprá-los.

Adoro ações de pequenas empresas, especialmente aquelas que estão iniciando suas atividades. A razão é que sou um empreendedor, não um homem da grande empresa. Quando jovem, trabalhei em grandes organizações como a Standard Oil da Califórnia, a Marinha dos EUA e a Xerox Corp. Apreciei o tempo que lá passei e tenho boas lembranças, mas eu sabia lá no fundo que não era um homem de organização. Gosto de iniciar empresas, não de dirigi-las. Então compro, em geral, ações de pequenas empresas e, às vezes, até inicio a empresa e depois a levo ao mercado. Podem se fazer fortunas com a emissão de novas ações e eu gosto desse jogo. Muitas pessoas têm medo de pequenas empresas e as consideram arriscadas, e de fato o são. Mas o risco sempre é diminuído se você gostar daquilo em que está investindo, entendê-lo e conhecer o jogo. Com pequenas empresas, minha estratégia é de investimento, é desfazer-me das ações no prazo de um ano. Por outro lado, minha estratégia para os imóveis é começar com pouco, depois trocá-los por imóveis maiores e, portanto, adiar o pagamento dos impostos sobre os ganhos. Isto permite que seu valor aumente acentuadamente. Costumo ficar com os imóveis menos do que sete anos.

Durante anos, mesmo quando estava na Marinha ou na Xerox, fiz o que aconselhava meu pai rico. Fiquei no meu emprego, mas ainda assim cuidava dos meus negócios. Estava atento à minha coluna de ativos. Negociava com imóveis e ações. Pai rico sempre destacava a importância da alfabetização financeira. Quanto melhor eu entendesse a contabilidade e a gestão do dinheiro, melhor eu poderia analisar investimentos e, por fim, construir minha própria empresa.

Eu não incentivaria ninguém a iniciar uma nova empresa a menos que realmente o desejasse. Conhecendo o que conheço quanto à direção de uma empresa, não recomendaria a tarefa a ninguém. Em certos casos, quando a pessoa não consegue um emprego, iniciar uma empresa pode ser uma solução. As chances entretanto são adversas: nove entre dez empresas quebram em cinco anos. Das que sobrevivem aos primeiros cinco anos, nove entre cada dez também quebram. Se você realmente tem o desejo de ter sua própria empresa, vá em frente. Se não for esse o caso, fique no seu emprego e cuide de seus negócios.

Quando digo "cuide de seus negócios", refiro-me à formação e à manutenção de uma sólida coluna de ativos. Se um dólar entrar nela, nunca o deixe sair de lá. Pense deste modo, uma vez que um dólar entra na coluna dos ativos, ele se transforma em seu empregado. O melhor do dinheiro é que ele trabalha 24 horas por dia e pode fazê-lo durante gerações. Fique no seu emprego, seja um ótimo empregado, mas construa essa coluna de ativos.

À medida que seu fluxo de caixa cresce, você pode comprar alguns artigos de luxo. Uma distinção importante é que os ricos compram os artigos de luxo por último, enquanto pobres e classe média tendem a fazê-lo antes. Nos Estados Unidos, os pobres e a classe média freqüentemente compram itens de luxo como casas grandes, diamantes, peles, jóias ou barcos porque desejam parecer ricos. Parecem ricos, mas na verdade estão afundando em dívidas. As pessoas que já têm dinheiro, os ricos a longo prazo, constroem primeiro sua coluna de ativos. Então, com a renda gerada por sua coluna de ativos, compram os artigos de luxo. Os pobres e a classe média compram artigos de luxo com seu próprio suor, sangue e com a herança de seus filhos.

Um luxo verdadeiro é uma recompensa por ter investido e desenvolvido uma coluna de ativos. Por exemplo, quando minha mulher e eu auferimos uma renda maior com nossos apartamentos, ela comprou sua Mercedes. Ela não fez nenhum trabalho extra, ou arriscou sua parte, porque os imóveis compraram o carro. Contudo, ela teve que esperar durante quatro anos enquanto o portfólio de imóveis crescia e finalmente começou a gerar suficiente renda extra para pagar o carro. Mas o luxo, o Mercedes, foi uma verdadeira recompensa: ela provou que sabia como aumentar sua coluna de ativos. Esse carro significa muito mais para ela do que apenas outro carro bonito. Significa que utilizou sua inteligência financeira para adquiri-lo.

O que muita gente faz é comprar compulsivamente um carro ou outro bem de luxo a crédito. Podem estar se sentindo entediadas e desejam apenas um brinquedo novo. Comprar um luxo a crédito leva alguém, mais cedo ou mais tarde, a se ressentir desse luxo, porque o endividamento se torna um ônus financeiro.

Depois que você dedicou seu tempo e investiu em seus negócios, está pronto para acrescentar o toque mágico – o maior segredo dos ricos. O segredo que põe os ricos muito à frente da multidão. A recompensa no fim da estrada por ter dedicado diligentemente seu tempo para cuidar de seus negócios.

Capítulo Cinco
Lição 4:

A história dos impostos e o poder da sociedade anônima

Lembro-me de ter ouvido na escola a história de Robin Hood. Meu professor pensava que fosse uma maravilhosa história de um herói romântico, tipo Kevin Costner, que roubava dos ricos para dar aos pobres. Meu pai rico não via Robin Hood como um herói. Ele o chamava de bandido.

Robin Hood pode ter desaparecido há muito tempo, mas seus seguidores perduram. Quantas vezes ouço as pessoas dizerem: "Por que os ricos não pagam por isso?" ou "Os ricos deveriam pagar mais impostos para atender à pobreza."

Essa idéia de Robin Hood, ou de tirar dos ricos para dar aos pobres, é que provoca os maiores sofrimentos para os pobres e para a classe média. A razão pela qual a classe média paga impostos tão pesados está no ideal de Robin Hood. Na verdade, os ricos não são tributados. É a classe média que paga pelos pobres, especialmente, a classe média alta instruída.

Novamente, para entender bem como tudo acontece, precisamos adotar uma perspectiva histórica. Precisamos conhecer a história dos impostos. Meu pai muito instruído era especialista em história da educação, já meu pai rico se tornou um especialista na história dos impostos.

Pai rico explicou a Mike e a mim que originalmente na Inglaterra e nos EUA não havia impostos. De vez em quando eram lançados impostos eventuais para financiar guerras. O rei ou o presidente anunciavam o acontecido e convocavam todos para "rachar" a despesa. Impostos foram lançados na Grã-Bretanha para financiar as lutas contra Napoleão de 1799 a 1816 e nos EUA para financiar a Guerra Civil entre 1861 e 1865.

Em 1874, a Inglaterra instituiu um imposto de renda permanente para seus cidadãos. Em 1913, o imposto de renda se tornou permanente nos Estados Unidos com a adoção da 16ª emenda à Constituição. Durante certo tempo, os americanos eram contrários aos impostos. Foi o excessivo imposto sobre o chá que levou ao famoso *Tea Party* no porto de Boston, um incidente que ajudou a desencadear a Guerra Revolucionária. Foram necessários cerca de cinqüenta anos, tanto na Inglaterra quanto nos EUA, para se consolidar a idéia de um imposto de renda rotineiro.

O que esses dados históricos não revelam é que em ambos os casos, os impostos foram inicialmente lançados sobre os ricos. Era isso o que pai rico queria que Mike e eu entendêssemos. Ele explicou que a idéia de impostos se tornou popular e foi aceita pela maioria, divulgando-se aos pobres e à classe média que os impostos estavam sendo criados para punir os ricos. Foi assim que as massas votaram a favor da lei e ela se tornou constitucionalmente legal. Embora fosse imaginada para punir os ricos, na realidade acabou punindo aquelas pessoas que votaram a seu favor, isto é, os pobres e a classe média.

"Quando o governo sentiu o gosto do dinheiro, seu apetite aumentou", disse pai rico. "Seu pai e eu somos exatamente os opostos. Ele é um burocrata do governo, eu sou um capitalista. Quanto mais ele gasta e quanto mais gente ele contrata, maior será sua organização. No governo, quanto maior sua organização, mais ele será respeitado. Por outro lado, dentro de minha organização, quanto menos gente eu contratar e quanto menos eu gastar, mais respeito obterei de meus investidores. É por isso que não gosto de gente do governo. Eles têm objetivos diferentes daqueles da maioria dos homens de negócios. À medida que o governo cresce, mais e mais dólares, saídos dos impostos, serão necessários para sustentá-lo."

Meu pai instruído acreditava sinceramente que o governo deveria ajudar as pessoas. Gostava de John F. Kennedy e, especialmente, da idéia do Corpo da Paz. Gostava tanto dessa idéia que ele e mamãe trabalharam para o Corpo da Paz treinando voluntários para a Malásia, Tailândia e Filipinas. Ele sempre lutava por doações adicionais e aumentos no orçamento de modo que pudesse contratar mais gente, tanto no seu cargo no Departamento de Educação quanto no Corpo da Paz. Essa era sua função.

Desde meus dez anos de idade, ouvia meu pai rico dizer que os funcionários do governo eram um bando de ladrões preguiçosos, e meu pai pobre falava que os ricos eram bandidos gananciosos que deveriam ser obrigados a pagar mais impostos. Ambos os lados tinham argumentos válidos. Era difícil trabalhar para um dos maiores capitalistas da cidade e chegar à casa onde o pai era um destacado líder do governo. Não era fácil saber em quem acreditar.

Contudo, quando você estuda a história dos impostos, aparece uma perspectiva interessante. Como já disse, a aprovação dos impostos só foi possível porque as massas acreditavam na teoria Robin Hood da economia, que era tirar dos ricos para distribuir aos demais. O problema é que o apetite do governo por dinheiro era tão grande que logo os impostos precisaram ser lançados sobre a classe média e daí "ir descendo".

Os ricos, por outro lado, viram nisso uma oportunidade. Eles não jogam pelas mesmas regras. Como já disse, os ricos já sabiam sobre as sociedades anônimas que se tornaram populares na época das navegações. Os ricos criaram a sociedade anônima como veículo para limitar o risco dos ativos a cada viagem. Os ricos colocavam seu dinheiro em uma sociedade anônima para financiar a viagem. A sociedade anônima, então, contratava uma tripulação para ir ao Novo Mundo em busca de tesouros. Se a embarcação se perdesse, a tripulação perdia a vida, mas a perda para os ricos se limitava apenas ao dinheiro investido em cada viagem. O diagrama que se segue mostra como a estrutura da sociedade anônima fica fora de sua demonstração pessoal de renda e de seu balanço.

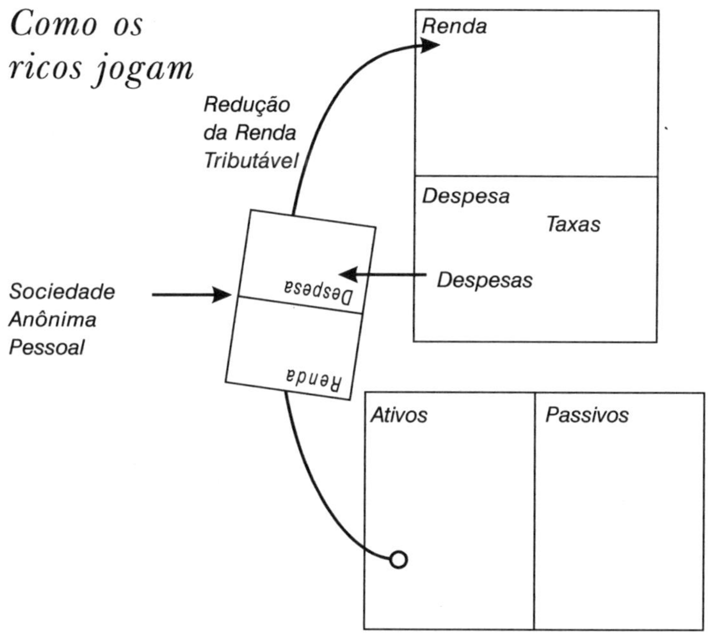

É o conhecimento do poder da estrutura legal da sociedade anônima que dá aos ricos uma grande vantagem sobre os pobres e a classe média. Tendo dois pais a me ensinar, um socialista e o outro capitalista, rapidamente percebi que a filosofia dos capitalistas tinha mais sentido financeiro para mim. Tinha a impressão de que os socialistas, em última análise, puniam a si próprios, em decorrência de sua falta de instrução financeira. Não importa o que inventasse a turma do "Tire dos ricos", os ricos sempre encontravam uma forma de passá-la para trás. E desta forma os impostos acabaram onerando a classe média. Os ricos passaram para trás os intelectuais, somente porque aqueles entendiam o poder do dinheiro, um tema não abordado pela escola.

Como os ricos passaram para trás os intelectuais? Quando o imposto "Tire dos ricos" foi implementado, o dinheiro começou a fluir para os cofres do governo. Inicialmente as pessoas ficaram felizes. O dinheiro foi repassado para os funcionários do governo e para os ricos. Foi para os funcionários na forma de empregos e aposentadorias. Foi para os ricos quando as empresas receberam contratos do governo. O governo se tornou uma grande fonte de dinheiro, mas o problema era a administração fiscal desses recursos. Na verdade, não havia recirculação. Em outras palavras, a política do governo, se você fosse um burocrata estatal, era evitar ter excesso de dinheiro. Se não conseguisse gastar a verba recebida, você se arriscava a perdê-la no próximo orçamento. Certamente, não haveria reconhecimento para você se fosse eficiente. Os homens de negócio, por outro lado, são recompensados pelo dinheiro que sobra e são reconhecidos por sua eficiência.

À medida que este ciclo de despesas públicas crescentes continuava, a demanda por dinheiro aumentava e a idéia de "Tire dos ricos" se ajustava agora para incluir níveis de renda mais baixos, chegando aos que tinham votado em favor dos impostos, os pobres e a classe média.

Os verdadeiros capitalistas aplicavam seus conhecimentos financeiros para simplesmente encontrar uma maneira de escapar. Eles se voltaram para a proteção de uma sociedade anônima. Uma sociedade anônima protege os ricos. Mas o que muita gente desconhece é que uma sociedade anônima não é algo concreto, no sentido literal do termo. Uma sociedade anônima é simplesmente uma pasta de arquivo com alguns documentos legais, que descansa no escritório de um advogado e está registrada em um órgão público. Não é um edifício com o nome de uma empresa. Não é uma fábrica ou um grupo de pessoas. Uma sociedade anônima é simplesmente um documento legal que cria um corpo jurídico sem alma. A fortuna dos ricos estava novamente protegida. Mais uma vez as sociedades anônimas se tornaram populares – depois que as leis do imposto de renda permanente foram aprovadas – porque a alíquota do imposto de renda sobre as sociedades anônimas era menor do que as vigentes sobre as pessoas físicas. Além disso, como foi mostrado anteriormente, certas despesas poderiam ser descontadas da renda tributável da sociedade anônima.

Esta guerra entre os que têm e os que não têm se mantém há centenas de anos. É a turma do "Tire dos ricos" contra os ricos. A batalha é travada sempre que são discutidas leis, e continuará sempre. O problema é que as pessoas que perdem não têm informação. Se elas entendessem a maneira como os ricos jogam, também poderiam jogar. Então estariam a caminho de sua independência financeira. É por isso que me arrepio toda vez que ouço um pai aconselhar seu filho a estudar para poder conseguir um bom emprego seguro. Um empregado com um emprego bom e seguro não tem escapatória.

O americano comum de hoje trabalha de cinco a seis meses para o governo, antes de ter conseguido o suficiente para pagar seus impostos. Em minha opinião, isso é tempo demais. Quanto mais arduamente você trabalha, tanto mais você paga ao governo. É por isso que acredito que a idéia de "Tire dos ricos" acaba sendo um tiro pela culatra para aqueles que a votaram.

Toda vez que as pessoas tentam punir os ricos, estes não apenas não obedecem, como reagem. Eles têm o dinheiro, o poder e a intenção de mudar as coisas. Não ficam sentados e pagam voluntariamente mais impostos, ao contrário, buscam maneiras de minimizar sua carga tributária. Contratam advogados e contadores competentes e convencem os políticos a mudar as leis ou a criar artifícios legais. Eles têm os recursos para fazer mudanças.

O Código Tributário dos EUA também oferece outras formas de elidir os impostos. Muitos desses instrumentos estão à disposição de qualquer um, mas são em geral os ricos que tiram proveito deles porque cuidam de seus negócios. Por exemplo, "1031" é um jargão para a seção 1031 do Código da Receita Federal, que permite a um vendedor adiar o pagamento dos impostos sobre o ganho de capital resultante da venda de um imóvel se este for trocado por um imóvel mais caro. Se você continuar aumentando seu patrimônio mediante a troca de imóveis, seus ganhos não serão tributados, enquanto você não liquidar a transação. As pessoas que não se beneficiam desta poupança de impostos, permitida legalmente, estão perdendo uma grande oportunidade de aumentar sua coluna de ativos.

Os pobres e a classe média não têm os mesmos recursos. Eles ficam sentados e deixam que o governo espete em seus braços as agulhas para a doação de sangue. Atualmente fico chocado com o número de pessoas que pagam mais impostos ou aplicam menos deduções simplesmente porque têm medo do governo. E sei como um agente tributário do governo pode ser apavorante e intimidante. Tenho amigos cujos negócios foram fechados e destruídos, para só depois descobrirem que se tratava de um erro do governo. Eu percebi isso. Mas o preço de trabalhar de janeiro a meados de maio é um preço muito alto para essa intimidação. Meu pai pobre nunca se rebelou. Nem meu pai rico. Este foi apenas mais esperto, e usou as sociedades anônimas – o maior segredo dos ricos.

Você lembrará a primeira lição que aprendi com meu pai rico. Eu era um garoto de nove anos que teve que sentar e esperar até que ele resolvesse falar comigo. Freqüentemente sentei em seu escritório esperando que ele "me atendesse". Ele me ignorava propositalmente. Queria que eu reconhecesse seu poder e desejasse ter um dia esse mesmo poder. Durante todos os anos que estudei e trabalhei com ele, sempre me lembrou que conhecimento é poder. E com o dinheiro vem mais poder, o que exige o conhecimento certo para mantê-lo e fazê-lo se multiplicar. Sem esse conhecimento, o mundo arrasta você. Pai rico sempre recordava, a mim e a Mike, que o maior tirano não era o patrão ou o supervisor, mas o homem dos impostos. Se você deixar, o homem dos impostos sempre tirará mais de você.

A primeira lição relativa a fazer o dinheiro trabalhar para mim, em vez de trabalhar pelo dinheiro, tem na verdade tudo a ver com poder. Se você trabalha pelo dinheiro, está cedendo o poder a seu empregador. Se seu dinheiro trabalha para você, você mantém e controla o poder.

No momento em que adquirimos esse conhecimento do poder do dinheiro trabalhando para nós, pai rico quis que nos tornássemos financeiramente espertos e não deixássemos os tiranos nos intimidarem. Você precisa conhecer as leis, a forma como funciona o sistema. Se for ignorante, é fácil ser intimidado. Se você sabe do que está falando, tem uma chance de vencer. É por isso que ele pagava tanto a advogados e contadores especialistas em tributação. Era menos dispendioso pagar-lhes do que pagar ao governo. A melhor lição que me deu, e que apliquei a maior parte de minha vida, é: "Seja esperto e você não será oprimido." Ele conhecia a lei porque era um cidadão respeitador das leis. "Se você sabe que está certo, você não terá receio de se defender." Mesmo se você estiver indo contra Robin Hood e seu bando.

Meu pai instruído sempre me incentivou a conseguir um bom emprego em uma grande empresa. Ele falava das vantagens de "subir na hierarquia empresarial". Ele não entendia que dependendo apenas do contracheque de um patrão eu seria uma vaca dócil pronta a ser ordenhada.

Quando contei a meu pai rico o conselho de meu pai pobre, ele deu uma risadinha. "Por que não ser dono da hierarquia?" foi tudo o que disse.

Eu era garoto e não entendia o que meu pai rico queria dizer com tornar-me dono de minha empresa. Era uma idéia que parecia impossível e assustadora. Embora a idéia me empolgasse, minha juventude não me permitia vislumbrar a possibilidade de que adultos trabalhassem, algum dia, para uma empresa da qual eu era o dono.

O importante é que se não fosse por meu pai rico, eu teria provavelmente seguido o conselho de meu pai instruído. Foi apenas a lembrança ocasional de meu pai rico que manteve viva a idéia de eu vir a ter minha própria empresa e me fez seguir um caminho diferente. Quando eu já estava com quinze ou dezesseis anos, sabia que não podia continuar a trajetória que meu pai instruído recomendava. Não tinha idéia de como fazer, mas estava disposto a não seguir na direção em que a maioria de meus colegas se encaminhava. Essa decisão mudou minha vida.

Não foi antes de eu chegar aos vinte e poucos anos que o conselho de meu pai rico começou a fazer sentido. Tinha saído da Marinha e estava trabalhando na Xerox. Ganhava muito bem, mas cada vez que olhava para o contracheque me sentia desapontado. As deduções eram tão grandes e, quanto mais eu trabalhava, maiores elas eram. Na medida em que eu era bem-sucedido, meus chefes falavam de promoções e aumentos. Era lisonjeador, mas podia ouvir pai rico sussurrando em meu ouvido: "Para quem você está trabalhando? Quem você está enriquecendo?"

Em 1974, ainda estava na Xerox, criei minha primeira sociedade anônima e comecei a "cuidar de meu negócio". Já havia alguns ativos em minha coluna de ativos, mas agora estava determinado a focar um mercado maior. Esses contracheques cheios de deduções justificavam todos os conselhos que pai rico me dera ao longo dos anos. Via o futuro que me aguardava se seguisse o conselho de meu pai instruído.

Muitos empregadores temem aconselhar seus empregados a cuidar de seus próprios negócios. Estou certo de que isso pode valer para certas pessoas. Mas em meu caso, a atenção dada aos meus negócios, ao aumento de ativos, tornou-me um empregado melhor. Agora eu tinha um objetivo. Chegava cedo e trabalhava diligentemente, juntando todo o dinheiro possível para poder começar a adquirir imóveis. O Havaí estava começando a crescer, e havia fortunas a serem feitas. Quanto mais eu percebia os estágios iniciais da expansão, mais máquinas Xerox eu vendia. Quantas mais vendia, mais dinheiro ganhava e, naturalmente, mais deduções apareciam em meu contracheque. Era inspirador. Estava tão ansioso para fugir da armadilha que eu trabalhava mais, e não menos. Por volta de 1978, costumava ocupar um dos primeiros cinco lugares entre os vendedores, às vezes o primeiro. Estava louco para sair da Corrida dos Ratos.

Em menos de três anos eu estava faturando mais em minha pequena empresa, uma companhia imobiliária, do que na Xerox. E o dinheiro que ganhava na minha coluna de ativos, minha companhia imobiliária, era dinheiro que trabalhava para mim. Não era eu batendo em portas para vender copiadoras. O conselho de meu pai rico fazia mais sentido. Logo o fluxo de caixa de minhas propriedades permitiu que minha empresa comprasse meu primeiro Porsche. Meus colegas vendedores da Xerox pensavam que eu estava gastando minhas comissões. Não estava. Estava gastando minhas comissões em ativos.

Meu dinheiro estava trabalhando arduamente para ganhar mais dinheiro. Cada dólar de minha coluna de ativos era um grande empregado dando duro para fazer mais empregados e comprando para o chefe um novo Porsche a ser deduzido da renda tributável. Comecei a trabalhar mais para a Xerox. O plano estava funcionando e meu Porsche era a prova.

Ao aplicar as lições de meu pai rico, eu, tão jovem, podia sair da "proverbial Corrida dos Ratos" de ser empregado. E isso foi possível dados os sólidos conhecimentos financeiros adquiridos com estas lições. Sem esses conhecimentos, que chamo de QI financeiro, meu caminho para a independência financeira teria sido muito mais difícil. Agora divido com outros, por meio de seminários, tudo que aprendi. Sempre que faço minhas palestras, lembro aos ouvintes que o QI financeiro se compõe de quatro grandes áreas.

Contabilidade: É o que chamo de alfabetização financeira. Uma habilidade vital se você quer construir um império. Quanto mais dinheiro estiver sob sua responsabilidade, mais acuidade é exigida ou a casa desmorona. É o lado esquerdo do cérebro, ou os detalhes. A alfabetização financeira é a capacidade de ler e entender demonstrações financeiras. Isso lhe permite identificar os pontos fortes e fracos de qualquer negócio.

Investimento: O que eu chamo de ciência do dinheiro que faz dinheiro. Isso envolve estratégias e fórmulas. É o lado direito do cérebro, ou o lado criativo.

Entendimento dos mercados: A ciência da oferta e da demanda. Há necessidade de conhecer os aspectos "técnicos" do mercado, o que está relacionado à emoção. O boneco *Tickle Me Elmo*, no Natal de 1996, é um caso de mercado técnico ou conduzido pelas emoções. O outro fator de mercado é o dos "fundamentos" ou do sentido econômico de um investimento. Um investimento faz sentido ou não de acordo com as condições correntes do mercado.

Muitas pessoas pensam que os conceitos de investimento e a compreensão do mercado são muito complexos para as crianças. Elas não conseguem ver que as crianças conhecem esses assuntos intuitivamente. Para aqueles que não estão familiarizados com o boneco Elmo, esse era o personagem de Vila Sésamo que estava povoando o sonho das crianças antes do Natal. A maioria das crianças queria um e o colocava em primeiro lugar em sua lista de presentes. Muitos pais se perguntavam se a empresa estava retendo intencionalmente o produto fora do mercado, enquanto o continuava anunciando nas vésperas do Natal. Desencadeou-se um pânico em função da grande demanda e da oferta escassa. Sem encontrar bonecos à venda nas lojas, especuladores viram uma oportunidade de fazer pequenas fortunas à custa de pais desesperados. Os infelizes pais que não acharam o boneco foram forçados a comprar outros brinquedos. A incrível popularidade do boneco Elmo não fazia sentido para mim, mas serve como um excelente exemplo econômico de oferta e demanda. O mesmo pode ser dito dos mercados de ações, títulos, imóveis e cartões de beisebol.

Lei: Por exemplo, utilizando uma sociedade anônima com os artifícios técnicos contábeis, o investimento e os mercados podem permitir um crescimento explosivo. Uma pessoa com conhecimento das vantagens tributárias e a proteção oferecida por uma sociedade anônima pode enriquecer muito mais rapidamente do que alguém que é simples empregado ou proprietário único de uma empresa. É como a diferença entre andar e voar. A diferença é muito profunda quando se trata de riqueza no longo prazo.

1. Vantagens tributárias: Uma sociedade anônima pode fazer muitas coisas que a pessoa física não pode, como pagar despesas antes de pagar impostos. Isto é uma especialização muito empolgante, mas não necessária, a menos que você tenha grandes ativos ou uma empresa.

Os empregados ganham e o imposto é descontado na fonte, assim eles têm que tentar sobreviver com o que sobra. Uma sociedade anônima fatura, gasta tudo o que pode e paga imposto sobre o que sobra. É uma das principais brechas tributárias de que se valem os ricos. É fácil constituí-las e não são dispendiosas se seus próprios investimentos geram um bom fluxo de caixa. Por exemplo, se você é dono de sua sociedade anônima, suas férias podem ser reuniões do Conselho no Havaí. Prestações do carro, seguros, concertos são despesas da sociedade. A mensalidade da academia de ginástica é uma despesa da sociedade. A maioria das refeições em restaurante pode ser considerada como despesa. E assim por diante – mas faça-o legalmente antes de pagar o imposto.

2. Proteção contra processos judiciais: Vivemos em uma sociedade litigiosa. Todos querem uma parte de seu dinheiro. Os ricos escondem boa parte de sua fortuna por meio de sociedades anônimas e fundos fiduciários para proteger seus ativos dos credores. Quando alguém processa uma pessoa rica, depara-se freqüentemente com camadas de proteção legal e descobre, finalmente, que a pessoa rica não possui, de fato, nada. Os ricos controlam tudo, mas não possuem nada. Os pobres e a classe média tentam ser donos de tudo e o perdem para o governo ou para outros cidadãos que gostam de processar os ricos. Eles aprenderam com a história de Robin Hood. Tire dos ricos, dê aos pobres.

Não é o objetivo deste livro entrar nos detalhes da propriedade de uma sociedade anônima. Mas se você possui qualquer tipo de ativo legítimo, eu sugeriria que você pensasse, o mais rápido possível, em saber mais a respeito dos benefícios e da proteção oferecidos por uma sociedade anônima. Há muitos livros sobre o assunto que lhe mostrarão até os passos necessários para formar uma sociedade anônima. Um livro em especial, *Inc. and Grow Rich*, oferece conhecimentos importantes sobre o assunto.

O QI financeiro é na verdade a sinergia de várias habilidades e talentos. Mas eu diria que é uma combinação das quatro habilidades técnicas mencionadas anteriormente o que constitui a inteligência financeira básica. Se você aspira a uma grande fortuna, é a combinação dessas habilidades que amplificará a sua inteligência financeira.

EM RESUMO

Os ricos com sociedades anônimas	**As pessoas que trabalham para empresas**
1. Ganham	1. Ganham
2. Gastam	2. Pagam impostos
3. Pagam impostos	3. Gastam

Como parte de sua estratégia financeira geral, recomendamos firmemente que você agrupe seus ativos sob o manto de uma sociedade anônima.

Capítulo Seis

Lição 5:

Os ricos inventam dinheiro

Ontem de noite interrompi a redação e fui assistir a um programa de televisão sobre a história de um jovem chamado Alexander Graham Bell. Bell acabara de patentear o telefone e estava tendo dificuldades crescentes em função da grande demanda por seu novo invento. Precisando ampliar suas atividades, ele procurou o gigante da época, a Western Union, para perguntar se havia interesse na compra de sua patente e de sua pequena empresa. Ele desejava US$100 mil por todo o pacote. O presidente da Western Union zombou dele e recusou a oferta afirmando que o preço era ridículo. O resto é história. Surgiu uma indústria multibilionária e nascia a AT&T.

Quando terminou a história de Alexander Graham Bell, veio o noticiário noturno. Entre as notícias estava o *downsizing* de outra empresa local. Os trabalhadores estavam furiosos e reclamavam que os donos da empresa estavam sendo injustos. Um gerente demitido, de cerca de 45 anos de idade, estava na fábrica com sua mulher e duas crianças, pedindo aos guardas que o deixassem entrar para falar com os proprietários a fim de solicitar que reconsiderassem sua demissão. Ele acabara de comprar uma casa e estava com medo de perdê-la. A câmera focalizava suas queixas para que todo o mundo pudesse ver. Não preciso dizer que isso prendeu minha atenção.

Ensino profissionalmente desde 1984. Tem sido uma experiência muito gratificante. E também uma atividade perturbadora, pois tenho ensinado para milhares de pessoas e vejo algo em comum em todos nós, incluindo eu próprio. Todos temos um potencial tremendo e fomos abençoados com dons. Contudo, a única coisa que nos detém é alguma insegurança. Não é tanto a falta de informação mas sim a falta de autoconfiança. Alguns são mais afetados do que outros.

Quando saímos da escola, a maioria de nós sabe que o que conta não é tanto o título que obtivemos ou as notas que tiramos. No mundo real, fora da academia, é necessário algo mais do que simplesmente notas. Já ouvi falar de "garra", "ousadia", "audácia", "coragem", "cara de pau", "esperteza", "tenacidade", "brilho". Este fator, qualquer que seja o nome que se lhe atribui, é mais decisivo, em última instância, para nosso futuro do que as notas obtidas ao longo dos estudos.

Dentro de cada um de nós há alguma dessas características. Existe também o reverso das mesmas: pessoas que, se necessário, se ajoelhariam suplicantes. Depois de passar um ano no Vietnã, como piloto da Marinha, passei a conhecer intimamente esses dois aspectos dentro de mim. Nenhum deles é melhor do que o outro.

Contudo, como professor, reconheço que são o medo excessivo e a falta de autoconfiança os grandes empecilhos à manifestação do gênio pessoal. Partia-me o coração ver estudantes que sabiam as respostas e que, no entanto, não tinham a coragem de agir em conseqüência. Muitas vezes, no mundo real, não são os talentosos que vão em frente, mas os ousados.

Em minha experiência pessoal, o gênio financeiro exige tanto conhecimento técnico quanto ousadia. Se o medo for muito forte, o gênio se extingue. Nas aulas, incentivo firmemente os estudantes a aprenderem a assumir riscos, a serem ousados, a deixarem seu gênio converter seu medo em poder e brilhantismo. Funciona para alguns e apavora outros. Acabei percebendo que a maioria das pessoas, quando se trata de dinheiro, prefere a segurança. Tive que responder a perguntas como: Por que arriscar? Por que me dar ao trabalho de desenvolver meu QI financeiro? Por que me alfabetizar financeiramente?

E a resposta é: "Para ter mais opções."

Há grandes mudanças à nossa frente. Comecei com a história do jovem inventor Alexander Graham Bell, nos próximos anos haverá mais pessoas como ele. Haverá centenas de pessoas como Bill Gates e empresas extremamente bem-sucedidas como a Microsoft sendo criadas a cada ano, em todo o mundo. E também haverá muito mais falências, demissões e *downsizing*.

Então, por que se preocupar em desenvolver o QI financeiro? Ninguém pode responder isso a não ser você. Contudo, posso dizer por que eu o faço. Faço porque esta é a época mais empolgante para se viver. Prefiro saudar a mudança do que temê-la. Prefiro me entusiasmar com a possibilidade de ganhar milhões do que me preocupar com não conseguir um aumento de salário. O período em que nos encontramos é arrebatador, não tem precedentes na história mundial. As gerações futuras olharão para esta época e verão o quanto de vibração deve ter havido. Terá sido a morte do velho e o nascimento do novo. Terá sido tumultuada e empolgante.

Então, por que se preocupar em desenvolver o QI financeiro? Porque se você o fizer, poderá prosperar muito. E se você não o fizer, este será um período apavorante. Será uma época em que pessoas seguem ousadamente em frente enquanto outras se agarram a modos de vida decadentes.

Há trezentos anos, a terra era riqueza, de modo que quem a possuísse, possuía riqueza. Então, apareceram as fábricas e a produção e os EUA ascenderam ao domínio. Os industriais eram os donos da riqueza. Hoje é a informação. E a pessoa que tiver a informação na hora certa, terá a riqueza. O problema é que a informação voa em volta do mundo à velocidade da luz. A nova riqueza não fica restrita por limites e fronteiras, como ocorria com as fábricas. As mudanças serão mais aceleradas e dramáticas. Haverá um aumento impressionante de novos multimilionários. E haverá também os que ficam para trás.

Atualmente, vejo tantas pessoas com dificuldades, trabalhando mais arduamente, simplesmente porque se agarram às velhas idéias. Querem que tudo seja como era antes, resistem à mudança. Conheço pessoas que estão perdendo seus empregos e suas casas e que culpam a tecnologia, ou a economia, ou o chefe. Infelizmente, elas não percebem que elas próprias podem ser o problema. Velhas idéias são seu maior passivo. É um passivo simplesmente porque não conseguem perceber que aquela idéia ou maneira de fazer alguma coisa, que era um ativo ontem, não mais existe.

Uma tarde estava ensinando a investir utilizando um jogo de tabuleiro, *CASHFLOW*, que inventei como uma ferramenta de ensino. Um amigo tinha trazido consigo uma conhecida para assistir à aula. Essa conhecida tinha se divorciado recentemente sendo grandemente prejudicada pelo acordo feito e agora estava à procura de respostas. Seu amigo pensou que a aula pudesse ajudar.

O jogo foi criado de modo a ajudar as pessoas a entender como funciona o dinheiro. Ao jogar, aprendem a interação entre demonstração de renda e balanço. Elas aprendem como "o dinheiro flui"* entre os dois e como a trajetória para a riqueza depende de aumentar o montante gerado mensalmente pela coluna de ativos até o ponto que este supere nossas despesas mensais. Uma vez atingido esse ponto, você pode abandonar a "Corrida dos Ratos" e entrar na "Pista de Alta Velocidade".

Como disse, algumas pessoas odeiam o jogo, outras adoram e algumas não entendem. Essa mulher perdeu uma valiosa oportunidade de aprender.

---

* O autor faz aqui um trocadilho intraduzível entre o nome do jogo CASHFLOW (fluxo de caixa) e *cash flows* que pode ser traduzido como o dinheiro flui. (N. T.)

Logo no começo do jogo ela tirou um cartão em que aparecia uma lancha. No início ficou feliz. "Oh! Ganhei uma lancha." Então, quando o amigo tentou lhe explicar como funcionavam as contas de sua demonstração de renda e de seu balanço, ela ficou frustrada porque nunca gostara de matemática. O resto dos jogadores de sua mesa ficaram esperando enquanto o amigo lhe explicava a relação entre demonstração de renda, balanço e fluxo de caixa mensal. De repente, ela percebeu como os números se encaixavam e que a lancha a estava comendo viva. No correr do jogo, também foi atingida pelo *downsizing* e teve um filho. Para ela foi um jogo terrível.

Depois da aula, seu amigo se aproximou de mim e disse que ela estava perturbada. Viera para a aula pensando em aprender a investir e não gostara "do tempo gasto com um jogo bobo".

Seu amigo tentou levá-la a pensar se o jogo não teria se "refletido" nela de alguma forma. Com essa sugestão, a mulher pediu o dinheiro de volta. Disse que a mera idéia de que o jogo pudesse ter algo a ver com ela era ridícula. Seu dinheiro foi rapidamente devolvido e ela foi embora.

Desde 1984, ganho milhões simplesmente fazendo o que o sistema de ensino não faz. Na escola, a maioria dos professores faz exposições. Eu detestava exposições quando estudante; logo me aborrecia e minha mente começava a divagar.

Em 1984, comecei a ensinar por meio de jogos e simulações. Sempre incentivei os estudantes adultos a pensar nos jogos como uma reflexão sobre o que eles já sabem e sobre o que precisam ainda aprender. É um sistema de *feedback* instantâneo. Em lugar de um professor fazendo uma exposição para o aluno, o jogo lhe devolve uma exposição personalizada, feita sob medida para você.

O amigo da mulher que foi embora me ligou mais tarde contando o que estava acontecendo. Ele disse que a amiga estava ótima e se acalmara. Depois de mais calma, ela começou a ver alguma relação entre o jogo e sua vida.

Embora ela e o marido não possuíssem uma lancha, tinham tudo o que se pode imaginar. Ela estava furiosa depois do divórcio, tanto porque ele a deixara por uma mulher mais nova, quanto pelo fato de em vinte anos de casamento eles terem acumulado poucos ativos. Não havia quase nada a dividir. Os vinte anos de casamento tinham sido muito divertidos, mas tudo o que eles tinham acumulado era um monte de badulaques.

Ela percebeu, ao fazer as contas – a demonstração de renda e o balanço – que sua raiva decorria do fato de não entendê-las. Ela tinha acreditado que as finanças eram assunto de homem. Ela cuidava da casa e da vida social e ele tratava das finanças. Estava agora certa de que nos últimos cinco anos de casamento ele ocultara dinheiro dela. Ela estava furiosa consigo mesma por não ter visto para onde o dinheiro ia, tanto quanto por não ter descoberto a existência da outra mulher.

Da mesma maneira que o jogo de tabuleiro, o mundo está sempre nos dando um *feedback* instantâneo. Poderíamos aprender muito se prestássemos mais atenção. Um dia, não muito tempo atrás, queixei-me com minha mulher de que a lavanderia devia ter encolhido minhas calças. Minha mulher sorriu gentilmente e cutucou minha barriga para informar que as calças não tinham encolhido, alguma coisa tinha se expandido: eu!

O jogo CASHFLOW se destina a oferecer a cada jogador um *feedback* pessoal. Seu objetivo é apresentar opções. Se você tirar um cartão que o endivida, a questão é "O que posso fazer agora?" Quantas opções financeiras diferentes você pode imaginar? Este é o objetivo do jogo: ensinar os jogadores a pensar e criar várias e novas opções financeiras.

Já observei mais de mil pessoas jogarem CASHFLOW. Aquelas que saem da Corrida dos Ratos mais rapidamente são as que têm um bom conhecimento dos números e uma mente criativa do ponto de vista financeiro. Elas reconhecem as diferentes opções financeiras. As pessoas que demoram mais são as que não têm familiaridade com números e que freqüentemente não entendem o poder do investimento. As pessoas ricas freqüentemente são criativas e assumem riscos calculados.

Há muita gente que ganha rios de dinheiro no jogo, mas não sabe o que fazer com ele. A maioria dessas pessoas também não é bem-sucedida nas finanças na vida real, todos parecem passar à sua frente. São muitos os que, apesar da quantidade de dinheiro que possuem, não progridem financeiramente.

Limitar suas opções é o mesmo que agarrar-se a idéias antiquadas. Tenho um amigo, do meu tempo no segundo grau, que agora trabalha em três empregos. Vinte anos atrás era o mais rico da minha turma. Quando a usina de açúcar local fechou, a empresa em que trabalhava quebrou junto. Na sua cabeça, ele só tinha uma opção e essa era a opção antiga: trabalhar arduamente. O problema é que não conseguia encontrar um emprego que reconhecesse sua antigüidade na empresa quebrada. Em conseqüência, ele tem uma qualificação superior ao necessário no emprego atual e seu salário é, portanto, inferior. Então ele está trabalhando em três empregos para conseguir sobreviver.

Observei pessoas que jogam CASHFLOW queixando-se de que as cartas não lhes oferecem as oportunidades "certas" e, assim, ficam paradas. Conheço quem faça isso na vida real. Esperam pela oportunidade "certa".

Observei pessoas que tiram a carta "certa" mas não têm dinheiro suficiente. Então se queixam de que poderiam ter saído da Corrida dos Ratos se tivessem mais dinheiro e, assim, ficam paradas. Na vida real há quem faça o mesmo. Vêem todos os grandes negócios mas não têm dinheiro.

E já vi pessoas tirarem uma carta com uma grande oportunidade, lê-la em voz alta e não terem idéia do que se tratava. Têm o dinheiro, a época é oportuna, têm a carta, mas não vêem a chance que está à sua frente. Não conseguem ver como isso se encaixa em seu plano financeiro para sair da Corrida dos Ratos. E há ainda os que parecem todos esses tipos combinados. A maioria tem uma oportunidade única bem na sua frente e não consegue vê-la. Um ano depois descobre-se que todos os outros ficaram ricos.

A inteligência financeira é simplesmente ter mais opções. Se as oportunidades não aparecem à sua frente, que outra coisa você pode fazer para melhorar sua posição financeira? Se uma oportunidade lhe cai do céu, e você não tem dinheiro, e o banco não lhe dá atenção, o que mais poderia fazer para essa oportunidade trabalhar a seu favor? Se seu palpite é errado e o que você esperava não acontece, como pode transformar um limão em milhões? Isso é inteligência financeira. Não é tanto o que acontece, mas quantas soluções financeiras diferentes você pode imaginar para transformar um limão em milhões. É a sua criatividade a serviço da solução de problemas financeiros.

A maioria das pessoas só conhece uma solução: trabalhar arduamente, poupar e levantar empréstimos.

Então, por que você quer aumentar sua inteligência financeira? Porque você quer ser o tipo de pessoa que cria sua própria sorte. Você pega o que quer que aconteça e o torna melhor. Poucas pessoas percebem que a sorte é criada. Do mesmo modo que o dinheiro. E se você quer ter mais sorte e criar dinheiro em lugar de trabalhar arduamente, então sua inteligência financeira é importante. Agora, se você é o tipo de pessoa que fica à espera de a coisa "certa" acontecer, pode esperar muito tempo. É como esperar que todas as luzes estejam verdes cinco quilômetros antes de começar a viagem.

Quando éramos garotos, Mike e eu ouvíamos meu pai rico dizer que o "Dinheiro não é real". Pai rico de vez em quando nos lembrava como chegamos perto do segredo do dinheiro naquele primeiro dia em que começamos a "fazer dinheiro" com gesso. "Os pobres e a classe média trabalham pelo dinheiro", dizia. "Os ricos fazem dinheiro. Quanto mais real vocês pensarem que o dinheiro é, tanto mais arduamente trabalharão por ele. Se vocês perceberem que o dinheiro não é real, enriquecerão mais rápido."

"Então o que é?", era a pergunta que Mike e eu repetíamos freqüentemente. "O que é a moeda se não é real?"

"O que nós concordamos que seja", era tudo que pai rico respondia.

O ativo mais poderoso que todos nós possuímos é nossa mente. Se for bem treinada, pode criar uma imensa riqueza no que parece ser um instante. Riqueza muito além dos sonhos de reis ou rainhas há trezentos anos. Uma mente não treinada também pode criar pobreza extrema que perdura por muito tempo quando é transmitida às famílias.

Na Era da Informação, o dinheiro cresce exponencialmente. Algumas poucas pessoas estão se tornando fabulosamente ricas a partir do nada, apenas com idéias e acordos. Se você perguntar a muitas pessoas que negociam com ações ou outros investimentos como meio de vida, elas dirão que vêem isso acontecer a toda hora. Milhões podem ser ganhos instantaneamente a partir do nada. E ao dizer nada estão querendo dizer que não há dinheiro sendo trocado. Tudo é feito por um acordo, um sinal manual no pregão, um sinal na tela de um corretor em Lisboa originado por um corretor em Toronto e de volta a Lisboa; um telefonema para meu corretor para comprar e outro, logo a seguir, para vender. O dinheiro não muda de mãos. Os acordos mudam.

Então, por que desenvolver seu gênio financeiro? Só você pode responder a isso. Eu só posso dizer porque tenho estado desenvolvendo essa área de minha inteligência. Eu o faço porque quero ganhar dinheiro rapidamente. Não porque eu precise, mas porque quero. É um processo de aprendizado fantástico. Desenvolvo meu QI financeiro porque quero participar do maior jogo do mundo. E de minha maneira pequena, gostaria de ser parte dessa evolução sem precedentes da humanidade, a era em que os seres humanos não trabalham com seus corpos, mas apenas com suas mentes. Aliás, nestas é onde está a ação. É o que está acontecendo. É fantástico. É apavorante. E é divertido.

É por isso que invisto em minha inteligência financeira, desenvolvendo o ativo mais poderoso que possuo. Quero estar junto das pessoas que se dirigem ousadamente para a frente. Não quero estar entre os que ficam para trás.

Vou lhe apresentar um exemplo simples de criação de dinheiro. No início da década de 1990, a economia de Phoenix estava em situação deplorável. Assistia na televisão ao "Bom Dia América" quando um consultor financeiro começou a prever dias de desgraça e sombra. Seu conselho era "poupe seu dinheiro. Ponha US$100 de lado a cada mês", dizia, "e em quarenta anos você será um multimilionário".

Bem, fazer uma poupança mensal é uma orientação válida. É uma opção – a opção que a maioria das pessoas encamparia. O problema é o seguinte: torna-nos cegos ao que está acontecendo a nossa volta. Perdem-se grandes oportunidades de um ganho maior. O mundo passa ao largo daqueles que optam por esse caminho.

Como disse, a economia estava em situação deplorável naquele momento. Para os investidores, essa é a condição perfeita do mercado. Parte de meu dinheiro estava aplicada em ações e apartamentos. Tinha pouco dinheiro em mãos. Como todos estavam se desfazendo de coisas, eu estava comprando. Eu não estava poupando, estava investindo. Minha mulher e eu tínhamos mais de um milhão de dólares trabalhando em um mercado que crescia rapidamente.

Era a melhor oportunidade para investir. A economia encontrava-se em má situação. Eu não podia deixar aqueles pequenos negócios passarem ao largo.

Casas que valiam US$100 mil, estavam agora sendo oferecidas por US$75 mil. Mas em vez de comprar na imobiliária local, comecei a comprar no escritório do advogado especializado em falências ou nos degraus do tribunal. Nesses lugares, uma casa de US$75 mil podia ser adquirida por US$20 mil ou menos. Com US$2 mil que um amigo me emprestou por noventa dias e encargos de US$200, dei ao advogado um cheque como entrada. Enquanto a aquisição estava sendo processada, coloquei um anúncio no jornal oferecendo uma casa que valia US$75 mil por US$60 mil, sem entrada. Choveram telefonemas. Depois de verificado o cadastro dos possíveis compradores e de que a casa fora passada para meu nome, os interessados puderam vê-la. Foi uma loucura. Em alguns minutos a casa estava vendida. Pedi ao comprador US$2.500 como taxa de processamento, o que foi logo pago imediatamente, e depois a transação passou às mãos da financeira. Devolvi a meu amigo os US$2 mil com um adicional de US$200. Ele ficou feliz, o comprador da casa ficou feliz, o advogado ficou feliz e eu fiquei feliz. Vendi por US$60 mil uma casa que me custou US$20 mil. Os US$40 mil foram criados com dinheiro que estava em minha coluna de ativos na forma de uma promissória do comprador. Tempo total de trabalho: cinco horas.

Agora que você está alfabetizado financeiramente e lê os números, mostrarei por que isto é um exemplo de dinheiro sendo inventado.

Poupança – quanto tempo seria necessário para poupar US$40 mil e quanto custaria considerando uma alíquota de imposto de 50%

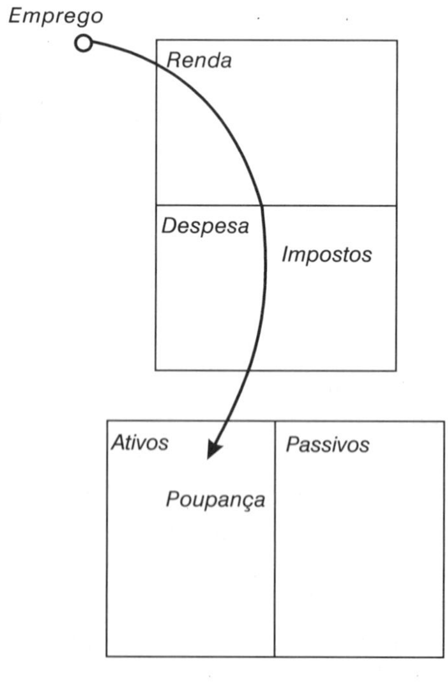

Nessa fase de mercado deprimido, minha mulher e eu fizemos seis de tais simples transações nas horas vagas. Enquanto o grosso de nosso dinheiro estava aplicado em imóveis maiores e em ações, conseguimos criar mais de US$190 mil em ativos (promissórias a juros de 10%) a partir dessas seis transações de compra, cria e vende. Isso representa uma renda anual de aproximadamente US$19 mil, boa parte dos quais abrigados sob o manto de nossa sociedade anônima. Esses US$19 mil anuais se destinarão sobretudo a pagar os carros de nossa empresa, gasolina, viagens, seguros, jantares com clientes e outros. Quando o governo tributa essa renda, ela já foi gasta em despesas legalmente dedutíveis.

US$40 mil criados na coluna de ativos – Dinheiro inventado sem tributação. A juros de 10% – você criou US$4 mil ao ano em fluxo de caixa

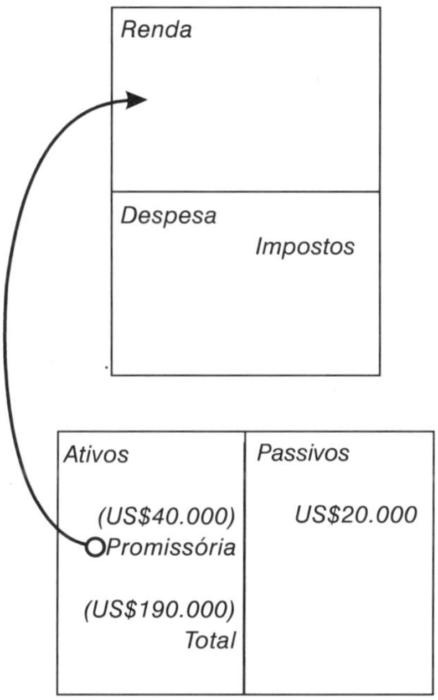

Isso foi um exemplo simples de como o dinheiro é inventado, criado e protegido usando-se inteligência financeira.

Pergunte-se quanto tempo levaria para poupar US$190 mil. O banco lhe pagaria um juro de 10% sobre esse dinheiro? E a promissória é de trinta anos. Espero que eles nunca me paguem os US$190 mil. Eu teria que pagar impostos se eles me pagassem o principal e, além disso, US$19 mil pagos ao longo de trinta anos geram uma renda de pouco mais de US$500 mil.

Já vi pessoas perguntarem o que aconteceria se o comprador não pagasse. Também seria bom. O mercado imobiliário de Phoenix foi, entre 1994 e 1997, um dos mais quentes do país. Aquela casa de US$60 mil teria sido retomada e revendida por US$70 mil, mais outros US$2.500 a título de despesas de processamento. E ainda seria um bom negócio para o novo comprador. E o processo prosseguiria.

Se você lembra, a primeira vez que vendi essa casa, devolvi os US$2 mil. Tecnicamente não pus dinheiro na transação. Meu retorno sobre o investimento (ROI)* é infinito. Esse é um exemplo de um monte de dinheiro sendo feito a partir do nada.

Na segunda transação, quando revendi, eu teria posto US$2 mil de meu bolso e renovado o empréstimo por trinta anos. Qual teria sido o ROI se eu recebi dinheiro para fazer dinheiro? Não sei, mas sem dúvida é muito mais do que seria obtido poupando US$100 todo mês, o que na verdade acaba sendo equivalente a US$150 porque se trata de uma renda, já descontado o imposto durante quarenta anos a 5%, e que novamente sofrerá tributação de 5%. Não é algo muito inteligente. Pode ser seguro mas não é esperto.

Atualmente, em 1997, quando estou escrevendo este livro, as condições de mercado são exatamente o oposto do registrado cinco anos atrás. O mercado de Phoenix é a inveja dos EUA. As casas que eram vendidas a US$60 mil, valem agora US$110 mil. Há ainda oportunidades, mas me custariam um ativo valioso, meu tempo, sair por aí atrás delas. São raras. Mas hoje há milhares de compradores buscando esses negócios e apenas uns poucos fariam sentido financeiramente. O mercado mudou. É tempo de mudar e buscar outras oportunidades para sua coluna de ativos.

"Você não pode fazer isso aqui." "Isso é contra a lei." "Você está mentindo."

Ouço esses comentários com muito mais freqüência do que "Você pode me mostrar como fazer isso?"

A matemática é simples. Você não precisa de álgebra ou de cálculo. Não escrevo muito porque a financeira cuida do lado legal da transação e do controle do pagamento. Não preciso consertar tetos ou instalações hidráulicas porque os proprietários cuidam disso. É a casa deles. De vez em quando alguém não paga. E isso é muito bom porque há multas de mora ou eles se mudam e a propriedade é vendida de novo. O sistema judiciário cuida disso.

Pode até não funcionar na sua região. As condições de mercado podem ser diferentes. Mas o exemplo ilustra como um processo financeiro simples cria centenas de milhares de dólares com pouco dinheiro e baixo risco. É um exemplo de dinheiro sendo apenas um contrato. Qualquer pessoa com instrução secundária pode fazer isso.

Contudo, muita gente não o faz. Muita gente segue o conselho padrão: "Trabalhe arduamente e poupe dinheiro."

---

*Mantivemos a sigla em inglês ROI (*return on investiment*) por esta ser freqüentemente encontrada em publicações financeiras. (N. T.)

Com cerca de trinta horas de trabalho, foram criados aproximadamente US$190 mil na coluna de ativos sem se pagar impostos.

O que lhe parece mais complicado?

1. Trabalhar arduamente, pagar impostos com alíquota de 50%, poupar o que sobra (suas poupanças rendem 5%, que também são tributados)?

OU

2. Despender tempo para desenvolver sua inteligência financeira e dominar o poder de seu cérebro e a coluna dos ativos?

Acrescente a isso o tempo, e este é um de seus maiores ativos, que levará para poupar US$190 mil se você escolher a opção 1.

Agora você pode entender por que balanço a cabeça silenciosamente quando ouço pais dizerem: "Meu filho esta indo muito bem na escola e está recebendo uma boa instrução." Pode ser bom, mas é adequado?

Sei que a estratégia de investimento acima é pequena. Foi usada para mostrar como o pequeno pode transformar-se em grande. Novamente, meu sucesso reflete a importância de um sólido embasamento financeiro, o que começa com uma boa instrução financeira. Já disse antes mas vale a pena repetir – a inteligência financeira é constituída por estas quatro habilidades técnicas:

1. Alfabetização financeira. A capacidade de entender números.

2. Estratégias de investimento. A ciência do dinheiro fazendo dinheiro.

3. O mercado. Oferta e demanda. Alexander Graham Bell deu ao mercado o que este desejava. Bill Gates fez o mesmo. Uma casa de US$75 mil oferecida por US$60 mil e que custou US$20 mil também foi o resultado de perceber uma oportunidade criada pelo mercado. Alguém estava comprando e alguém estava vendendo.

4. A lei. O conhecimento de lei e regulamentos estaduais e nacionais sobre contabilidade e empresas. Recomendo que se jogue dentro das regras.

São os fundamentos básicos ou a combinação destas habilidades o necessário para ser bem-sucedido na busca da riqueza, seja pela compra e venda de pequenos imóveis, grandes apartamentos, empresas, ações, títulos, fundos mútuos, metais preciosos, cartões de beisebol ou coisas do gênero.

Por volta de 1996, o mercado imobiliário tinha se recuperado e todos estavam entrando. O mercado de ações estava em alta e todos estavam entrando. A economia dos EUA punha-se de pé novamente. Comecei a vender em 1996 e viajei para Peru, Noruega, Malásia e Filipinas. Os investimentos tinham mudado. Nós estávamos fora do mercado imobiliário pelo menos no que se referia a compras. Eu apenas observava o aumento dos valores da coluna de ativos e provavelmente começaria a vender mais para o fim do ano. Isto estava dependendo de algumas alterações na legislação serem aprovadas pelo Congresso. Desconfio que alguns desses pequenos negócios imobiliários começarão a ser vendidos e a promissória de US$40 mil será convertida em dinheiro. Preciso consultar meus contadores e me preparar para liquidá-la e procurar formas de resguardar o dinheiro.

O que desejo ressaltar aqui é que os investimentos vêm e vão, os mercados sobem e descem, as economias melhoram e entram em crise. O mundo está sempre lhe apresentando oportunidades únicas, a cada dia de sua vida, mas, na maior parte das vezes, não conseguimos percebê-las. Mas elas estão lá. E quanto mais o mundo muda e quanto mais a tecnologia progride, maiores oportunidades existirão para permitir que você e sua família estejam seguros pelas próximas gerações.

Então, por que desenvolver sua inteligência financeira? Repito, só você pode responder a isso. Sei por que eu continuo a aprender e desenvolver. Eu o faço porque sei que estão vindo mudanças. Prefiro saudar a mudança do que me agarrar ao passado. Sei que haverá expansões do mercado e crises. Quero desenvolver continuamente minha inteligência financeira porque, a cada mudança, algumas pessoas estarão de joelhos suplicando por seus empregos. Outras, entretanto, pegarão os limões que a vida lhes dá – e ela nos dá a todos, ocasionalmente – e os transformarão em milhões. Isso é inteligência financeira.

Muitas vezes me perguntam sobre os limões que transformei em milhões. Hesito, porém, em usar mais exemplos de investimentos pessoais. Hesito porque tenho medo de que pareça bravata ou auto-elogio. Não é essa minha intenção. Uso os exemplos apenas como ilustração numérica e cronológica de casos concretos e simples. Uso meus exemplos porque quero que você saiba que é fácil. Torna-se mais fácil quanto mais você se familiariza com os quatro pilares da inteligência financeira.

Pessoalmente, emprego dois veículos principais para obter crescimento financeiro: imóveis e ações de pequenas empresas. Os imóveis são a base. Todo dia meus imóveis geram um fluxo de caixa e de tanto em tanto seu valor aumenta. As ações são usadas para obter um crescimento rápido.

Não recomendo nada do que faço. Os exemplos são apenas isso, exemplos. Se a oportunidade é muito complexa e eu não entendo o investimento, não o faço. Matemática simples e bom senso são tudo o de que se necessita para alcançar sucesso financeiro.

Há cinco razões para usar os exemplos:

1. Inspirar as pessoas para que aprendam mais.
2. Mostrar às pessoas que tudo é fácil se o embasamento é sólido.
3. Mostrar que qualquer um pode obter uma grande fortuna.
4. Mostrar que há milhões de maneiras de atingir nossos objetivos.
5. Mostrar que isto não é ciência espacial.

Em 1989, eu costumava correr numa bela região de Portland, Oregon. Era um subúrbio com lindas casas que pareciam de boneca. Eram pequenas e lindas. Eu quase que esperava encontrar na calçada Chapeuzinho Vermelho a caminho da casa da Vovó.

Por todo lugar havia cartazes de "vende-se". O mercado de toras de madeira estava em crise, o mercado de ações acabara de entrar em colapso e a economia estava deprimida. Numa rua notei um cartaz, que parecia pregado lá há mais tempo que os outros, anunciando a venda de uma casa. Correndo por lá um dia encontrei o dono da casa que tinha um ar preocupado.

– Quanto o senhor quer pela casa? – perguntei.

O dono se virou e deu um sorriso desanimado.

– Faça uma oferta – disse. – Está à venda há um ano. Ninguém mais aparece para vê-la.

– Vou olhar – disse eu, e meia hora depois comprava a casa por menos US$20 mil do que o proprietário pedira originalmente.

Era uma bela casinha de dois quartos, com enfeites de madeira em todas as janelas. Sua cor era azul com detalhes cinza e fora construída em 1930. Em seu interior uma lareira de pedra. Uma casa perfeita para se alugar.

Dei uma entrada de US$5 mil por uma casa de US$45 mil, mas que realmente valia US$65 mil, embora ninguém quisesse comprá-la. O proprietário a desocupou em uma semana, feliz de se ver livre dela e logo chegou meu inquilino, um professor da escola local. Depois de pagar a hipoteca e despesas diversas, eu ficava com US$40 ao fim de cada mês. Nada muito empolgante.

Um ano depois, o mercado imobiliário deprimido do Oregon começou a se recuperar. Os investidores da Califórnia, cheios de dinheiro obtido em seu mercado imobiliário ainda em expansão, estavam se deslocando para o norte e comprando imóveis no Oregon e em Washington.

Vendi a casinha por US$95 mil a um casal californiano que achou que estava diante de uma pechincha. Meu ganho de capital de cerca de US$40 mil foi empregado numa aplicação amparada pela seção 1031* e comecei a

*Dispositivo da legislação tributária americana que trata do adiamento do pagamento de impostos. (N. T.)

procurar um lugar onde pôr o dinheiro. Em um mês encontrei um prédio com doze apartamentos perto da fábrica da Intel em Beaverton, Oregon. Seus donos moravam na Alemanha e não tinham idéia de quanto valia o local e, novamente, só queriam se desfazer do imóvel. Ofereci US$275 mil por um prédio que valia US$450 mil. Concordaram com US$300 mil. Comprei e fiquei com ele por dois anos. Utilizando o mesmo processo de troca de imóveis com tributação deferida, minha mulher e eu vendemos o prédio por US$495 mil e compramos outro com trinta apartamentos, em Phoenix, Arizona. Naquela época nos mudamos para Phoenix,para sair de uma crise, e teríamos que vendê-lo de qualquer maneira. O preço do prédio de trinta apartamentos era de US$875 mil com entrada de US$225 mil. O fluxo de caixa decorrente do aluguel dos trinta apartamentos era de pouco mais de US$5 mil ao mês. O mercado de imóveis do Arizona começou a subir e, em 1996, um investidor do Colorado nos ofereceu US$1,2 milhão pelo imóvel.

Minha mulher e eu pensamos em vendê-lo mas decidimos esperar para ver se a legislação relativa a ganhos de capital seria alterada pelo Congresso. Se mudasse o imóvel deveria aumentar, acredito, outros 15% ou 20%. Além disso, os US$5 mil ao mês eram um bom fluxo de caixa.

Este exemplo mostra como é possível transformar uma pequena soma de dinheiro em outra muito maior. Repito, é uma questão de entender demonstrações financeiras, estratégias de investimento, sentir o mercado e conhecer as leis. Se as pessoas não são versadas nesses tópicos, então tenderão a seguir o dogma padrão, que é buscar a segurança, diversificar e só aplicar em investimentos seguros. O problema é que investimentos "seguros" muitas vezes são esterilizados. Isto é, são tão seguros que seus ganhos são menores.

A maioria das corretoras não tocará em transações especulativas para se proteger a si próprias e a seus clientes. E essa é uma política sábia.

Os negócios realmente quentes não são oferecidos aos novatos. Normalmente, os melhores negócios, que tornam os ricos ainda mais ricos, são reservados para aqueles que entendem o jogo. É tecnicamente ilegal oferecer a alguém que não é considerado "sofisticado" esses negócios especulativos, mas, naturalmente, acontece.

Quanto mais "sofisticado" me torno, mais oportunidades aparecem no meu caminho. Outro argumento para desenvolver sua inteligência financeira, ao longo da vida, é, simplesmente, que mais oportunidades são apresentadas a você. E quanto maior for sua inteligência financeira mais fácil será reconhecer um bom negócio. Quanto mais aprendo – e há muito a aprender – mais dinheiro ganho, simplesmente porque com o passar dos anos acumulo experiência e sabedoria. Tenho amigos que se aprisionam à segurança, trabalhando com afinco em suas profissões, e que não conseguem adquirir sabedoria financeira, que leva tempo para ser desenvolvida.

De modo geral, minha filosofia é plantar sementes em minha coluna de ativos. Essa é a minha fórmula. Começo com pouco e planto sementes. Algumas se desenvolvem; outras não.

Na nossa empresa imobiliária há propriedades que valem muitos milhões. É nosso próprio Truste de Investimento em Imóveis. A maioria desses milhões partiram de investimentos mínimos, da ordem de US$5 mil ou US$10 mil. Todas essas entradas foram beneficiadas por terem ocorrido em momentos de rápida ascensão do mercado, aumentos isentos de imposto, compras e vendas feitas repetidamente ao longo de alguns anos.

Também temos um portfólio de ações, abrigado em uma empresa que minha mulher e eu chamamos de nosso fundo mútuo pessoal. Temos amigos que fazem negócios especificamente com investidores como nós, de modo que temos a cada mês dinheiro extra para investir. Compramos ações de empresas de capital fechado, de alto risco, especulativas, que estão próximas de serem listadas em bolsas dos EUA ou do Canadá. Um exemplo de como é possível obter ganhos rápidos são 100 mil ações compradas a 25 centavos pouco antes da abertura de capital da empresa. Seis meses depois, a empresa estava listada em bolsa e as 100 mil ações agora valem US$2 cada uma. Se a empresa for bem administrada, o preço continuará subindo e as ações podem alcançar US$20 ou mais, cada uma. Houve ocasiões em que nossos US$25 mil se transformaram em um milhão em menos de um ano.

Se você sabe o que está fazendo, você não está jogando. É jogo quando você põe dinheiro em um negócio e reza para que dê certo. O importante é usar conhecimento técnico, sabedoria e amor ao jogo para minimizar os riscos. Naturalmente sempre há algum risco. É a inteligência financeira que aumenta as chances. Assim, o que é muito arriscado para uma pessoa é menos arriscado para outra. Essa é a principal razão pela qual incentivo sempre as pessoas a investir mais em sua instrução financeira do que em ações, imóveis ou outros mercados. Quanto mais esperto você for, mais chances terá de reduzir os riscos.

As ações nas quais eu invisto são extremamente arriscadas para a maioria das pessoas e não aconselho de forma alguma que outros o façam. Estou nesse jogo desde 1979 e já paguei mais do que devia por elas. Mas se você reler por que tais investimentos são um alto risco para a maioria das pessoas, poderá organizar sua vida de modo diferente, de modo a que a habilidade de pegar US$25 mil e transformá-los em US$1 milhão em um ano seja de baixo risco para você.

Como já disse anteriormente, nada do que escrevi é uma recomendação. São exemplos do que é simples e possível. O que faço é café pequeno no esquema das coisas, contudo, para o indivíduo médio, uma renda de US$100 mil ao ano sem fazer muita força é agradável e não muito difícil de obter. Dependendo do mercado e do quanto esperto você for, isso pode ser conseguido num prazo de cinco a dez anos. Se mantiver suas despesas correntes em um nível modesto, US$100 mil como renda adicional é bom, não importando se você trabalha. Você pode trabalhar se quiser ou tirar folga e usar o sistema tributário a seu favor e não contra você.

Minha base pessoal são os imóveis. Adoro imóveis porque são estáveis e mudam devagar. Mantenho essa base sólida. O fluxo de caixa é constante e, se administrado adequadamente, tem boas chances de ter seu valor aumentado. A beleza de uma sólida base em imóveis é que ela me permite arriscar um pouco mais com as ações especulativas que compro.

Se tenho grandes lucros no mercado de ações, pago o imposto sobre os ganhos de capital e reinvisto o que sobra em imóveis, garantindo assim o alicerce de meus ativos.

Uma última palavra sobre imóveis. Tenho viajado por todo o mundo ensinando a investir. Em todas as cidades ouço as pessoas dizerem que não há imóveis baratos. Não é essa minha experiência. Mesmo em Nova York ou Tóquio, ou mesmo nos arredores das cidades, há pechinchas desprezadas pela maioria das pessoas. Em Cingapura, que atualmente registra uma alta no preço dos imóveis, podem se encontrar ainda pechinchas em locais não muito distantes. Logo, sempre que ouço alguém me dizer "Você não pode fazer isso aqui", respondo que talvez a afirmação adequada seja: "Não sei como fazer isso aqui ... ainda."

As grandes oportunidades não são vistas com os olhos. São vistas com a mente. Muita gente não ficará rica nunca simplesmente porque não tem o treinamento financeiro para reconhecer oportunidades que estão bem à sua frente.

Muitas vezes me perguntam: "Como começo?"

No último capítulo, mostro dez passos que segui na trajetória para minha independência financeira. Mas sempre lembro que é preciso que seja divertido. É apenas um jogo. Algumas vezes você ganha e outras aprende. Mas divirta-se. A maioria das pessoas nunca ganha porque tem medo de perder. É por isso que a escola é tão tola. Na escola aprendemos que os erros são maus e somos punidos por cometê-los. Contudo, se você prestar atenção à maneira como os seres humanos aprendem, verá que aprendemos errando. Aprendemos a andar, caindo. Se nunca cairmos, não andaremos nunca. O mesmo quanto a andar de bicicleta. Ainda tenho cicatrizes nos joelhos, mas hoje ando de bicicleta sem pensar. O mesmo vale para enriquecer. Infelizmente, a principal razão pela qual a maioria das pessoas não é rica é por seu pavor de perder. Os vencedores não têm medo de perder. Mas os perdedores, sim. Os fracassos são parte do processo do sucesso. As pessoas que evitam os fracassos também evitam os sucessos.

Penso no dinheiro de forma semelhante ao meu jogo de tênis. Jogo muito, erro, corrijo, erro mais, volto a corrigir e melhoro meu jogo. Se eu perder o jogo, vou até a rede e aperto a mão de meu adversário, sorrio e digo: "Até sábado."

Há dois tipos de investidor:

1. O primeiro e mais comum são as pessoas que compram um investimento empacotado. Eles procuram um varejista, seja uma imobiliária, seja um corretor ou um consultor financeiro e compram alguma coisa. Pode ser um fundo mútuo, um truste de investimentos imobiliários, ações ou títulos. É uma forma bem limpa e simples de investir. Pode ser comparado à pessoa que vai à loja e compra um computador direto da prateleira.

2. O segundo são os investidores que criam investimentos. Este investidor em geral organiza o negócio de forma semelhante às pessoas que compram os componentes e montam seu computador. É algo sob medida. Eu não sei como juntar componentes de computador. Mas sei como juntar oportunidades ou conheço gente que sabe.

É este segundo tipo que tem mais probabilidade de se tornar um investidor profissional. Algumas vezes são necessários anos para se juntarem todas as peças. E às vezes nunca se consegue isso. Meu pai rico me incentivou a ser este tipo de investidor. É importante aprender a juntar as peças porque é aí onde estão os grandes ganhos, e, se a maré é adversa, as grandes perdas.

Se você quer ser o segundo tipo de investidor, precisa desenvolver três habilidades principais. Estas se somam àquelas necessárias para se adquirir a inteligência financeira:

1. Como encontrar uma oportunidade que ninguém mais viu. Você vê com sua mente o que os outros vêem com os olhos. Por exemplo, um amigo comprou uma casa caindo aos pedaços. Era assustador olhar para ela. Todos se perguntavam por que ele a teria comprado. O que ele viu e nós não vimos foi que junto com a casa, a compra envolvia mais quatro lotes de terreno vazio. Ele verificou isso indo à imobiliária. Depois de comprar a casa, ele a demoliu e vendeu os cinco lotes para um construtor por três vezes o que tinha pago. Ele ganhou US$75 mil em dois meses de trabalho. Não é muito dinheiro, mas sem dúvida é muito mais do que o salário mínimo, e não há muitas dificuldades técnicas.

2. Como conseguir dinheiro. Em geral as pessoas só procuram o banco. Esse segundo tipo de investidor precisa saber onde levantar recursos e há muitas formas de fazê-lo sem ir ao banco. Para começar, aprendi a comprar imóveis sem precisar de banco. Não é tanto pelos imóveis, mas pela aprendizagem de como conseguir o dinheiro, o que não tem preço.

   Muito freqüentemente ouço as pessoas dizerem "O banco não me dá um empréstimo", ou "Não tenho dinheiro para comprar isso". Se você quiser se tornar um investidor do tipo 2, precisará aprender a fazer o que atrapalha tanta gente. Em outras palavras, a maioria das pessoas deixa que a falta de dinheiro as impeça de fechar um negócio. Se você puder evitar esse obstáculo, estará milhões à frente dos que não aprenderam essas habilidades. Muitas vezes adquiri uma casa ou ações ou um prédio de apartamentos sem ter um tostão no banco. Uma vez comprei um prédio por US$1,2 milhão. O que eu fiz é chamado "amarrar" a transação com um contrato escrito entre comprador e vendedor. Então, consegui o necessário para pagar o depósito de US$100 mil, o que me permitiu obter noventa dias para levantar o resto do dinheiro. Por que eu fiz isso? Simplesmente sabia que o prédio valia US$2 milhões. Nunca levantei o dinheiro. Em lugar disso, a pessoa que depositou os US$100 mil me deu US$50 mil por ter encontrado o prédio, assumiu minha posição e eu saí do negócio. Total de tempo de trabalho: três dias. Repito, conta mais o que você sabe do que o que você compra. Investir não é comprar. É conhecer.

3. Como organizar pessoas espertas. Pessoas inteligentes são aquelas que trabalham com, ou contratam, uma pessoa mais inteligente do que elas. Quando você precisar de orientação assegure-se de escolher sabiamente seu conselheiro.

Há muito o que aprender, mas a recompensa pode ser astronômica. Se você não quer aprender estas habilidades, então é aconselhável ser um investidor do tipo 1. Sua maior riqueza é o que você sabe. Seu maior risco é o que você não conhece.

Sempre há risco, de modo que aprenda a administrá-lo em vez de evitá-lo.

Capítulo Sete
Lição 6:
Trabalhe para aprender – não trabalhe pelo dinheiro

Em 1995, concedi uma entrevista a um jornal de Cingapura. A jovem repórter chegou na hora e, imediatamente, começou a entrevista. Sentamos no hall de entrada de um hotel luxuoso, tomamos café e falamos do objetivo de minha visita à cidade. Eu devia dividir o palco com Zig Ziglar. Ele falaria de motivação e eu dos "Segredos dos Ricos".

– Gostaria de ser, um dia, uma autora de best-sellers como o senhor – disse ela. Eu já lera alguns de seus artigos de jornal e ficara impressionado. Ela tinha um estilo forte e claro. Seus artigos atraíam o interesse do leitor.

– A senhora tem ótimo estilo – respondi. – O que a impede de alcançar seu sonho?

– Parece que não consigo ir adiante – ela respondeu calmamente.

– Todos dizem que meus romances são ótimos, mas não acontece nada. De modo que continuo no jornal. Pelo menos dá para pagar as contas. O senhor teria alguma sugestão?

– Sim – retruquei animadamente. – Um amigo meu tem, aqui em Cingapura, um curso que ensina as pessoas a vender. Ele dá cursos de treinamento em vendas para as principais empresas desta cidade e penso que se a senhora assistisse a um de seus cursos, sua carreira poderia se beneficiar bastante.

Ela se espantou:

– O senhor está dizendo que eu deveria aprender a vender?

Balancei a cabeça afirmativamente.

– O senhor está falando sério?

Voltei a fazer que sim com a cabeça. "O que há de errado com isso?" Agora eu estava recuando. Ela se ofendera com o que eu disse. Preferiria não ter dito nada. Em minha tentativa de ser útil, comecei a defender minha sugestão.

– Tenho um mestrado em literatura inglesa. Por que freqüentaria um curso de vendas? Sou uma profissional. Fui para a universidade para não ser vendedora. Odeio vendedores. Eles só pensam em dinheiro. Diga-me, para que vou estudar vendas? – ela começou a arrumar suas coisas. A entrevista tinha acabado.

Na mesa em frente ao sofá estava um exemplar de um best-seller que eu publicara. Peguei o livro e algumas notas que ela fizera num bloco.

– Está vendo isto? – disse eu apontando para suas anotações.

Ela olhou para o bloco:

– O quê? – ela disse confusa.

Novamente, apontei para suas anotações. No bloco ela escrevera "Robert Kiyosaki, autor de best-sellers".

– Aqui fala "autor de best-sellers", não diz "melhor escritor".

Seus olhos se arregalaram imediatamente.

– Sou um péssimo escritor. Você é uma grande escritora. Eu freqüentei cursos de vendas. Você tem um mestrado. Junte as duas coisas e você terá uma "autora de best-sellers" e uma "boa escritora".

Seu olhar estava enfurecido.

– Nunca me rebaixarei tanto quanto chegar a aprender como vender. Pessoas como o senhor não têm nada que ficar escrevendo. Fui treinada profissionalmente para escrever e o senhor para vender. Não é justo.

Guardou o resto de suas notas e disparou pelas amplas portas de vidro para a úmida manhã de Cingapura.

Pelo menos, na manhã seguinte, sua reportagem era equilibrada e favorável.

O mundo está cheio de gente inteligente, talentosa, instruída e qualificada. Encontramos com elas todos os dias. Estão todas em volta de nós.

Alguns dias atrás, meu carro estava com problemas. Entrei numa oficina e o jovem mecânico o consertou em alguns minutos. Ele sabia o que estava errado apenas pelo barulho do motor. Fiquei impressionado.

A triste verdade é que um grande talento não é suficiente.

Sempre fico chocado ao perceber o pouco que ganham as pessoas talentosas. Ouvi outro dia que menos de 5% dos americanos ganham mais de US$100 mil ao ano. Já encontrei gente muito instruída, brilhante, que ganha menos de US$20 mil ao ano. Um consultor comercial especializado na área médica me dizia que muitos médicos, dentistas e quiropráticos têm dificuldades financeiras. Até então eu pensava que, quando eles se formassem, os dólares choveriam. Foi esse consultor que me disse: "Eles estão uma habilidade atrás da grande riqueza."

O que isso quer dizer é que muitas pessoas precisam apenas aprender e dominar uma habilidade a mais e sua renda aumentará exponencialmente. Já mencionei que a inteligência financeira é uma sinergia entre contabilidade, investimento, marketing e direito. Combine essas quatro habilidades técnicas e ganhar dinheiro, com dinheiro será mais fácil. Quando se fala de dinheiro a única habilidade que a maioria das pessoas conhece é trabalhar mais.

O exemplo clássico de sinergia de habilidades era essa jovem jornalista. Se ela aprendesse ativamente as habilidades de vendas e marketing, sua renda poderia aumentar de forma espetacular. Se eu fosse ela, faria alguns cursos de redação publicitária além de vendas. Então, em vez de trabalhar no jornal, eu procuraria um emprego numa agência de publicidade. Mesmo se seu salário se reduzisse, ela aprenderia a comunicar-se "sinteticamente" como se faz com tanto sucesso na publicidade. Ela também aprenderia relações públicas, uma habilidade importante. Aprenderia a como obter milhões em publicidade gratuita. Então, de noite e nos fins de semana ela poderia escrever seu grande romance. E quando este estivesse terminado, ela estaria mais apta a vender seu livro. E, assim, em pouco tempo, ela poderia ser "autora de best-sellers".

Quando publiquei meu primeiro livro, *If you want to be rich and happy, don't go to school*? [Se você quer ser rico e feliz, não vá para a escola?], um editor sugeriu que eu mudasse o título para *A economia da educação*. Falei que com um título como este eu só conseguiria vender dois exemplares: um para minha família, o outro para meu melhor amigo. O problema é que eles esperariam ganhá-lo. O agressivo título foi escolhido porque eu sabia que assim obteria toneladas de publicidade. Sou favorável à educação e acredito em reforma educacional. De outra forma, por que continuaria eu a pressionar por mudanças em nosso sistema de ensino antiquado? Por isso, escolhi um título que me permitisse ir a mais apresentações de televisão e rádio, simplesmente por causa da controvérsia. Muitas pessoas pensaram que eu era louco, mas o livro vendeu muito bem.

Quando me formei na Academia de Marinha Mercante dos EUA, em 1969, meu pai instruído ficou feliz. A Standard Oil da Califórnia me contratara para sua frota de navios-tanque. Eu era terceiro imediato e o salário era baixo em comparação ao de meus colegas, mas era um bom emprego para um recém-formado. Meu salário inicial era de cerca de US$42 mil ao ano, incluindo as horas extras, e eu só trabalhava durante sete meses. Tinha cinco meses de férias. Se eu quisesse poderia ter ido para o Vietnã com uma empresa de navegação subsidiária e teria com facilidade dobrado meu salário em vez de descansar nas férias.

Tinha uma grande carreira à minha frente, contudo me demiti seis meses depois e fui para a Marinha dos EUA para aprender a voar. Meu pai instruído ficou arrasado. Pai rico me deu os parabéns.

Na escola e no local de trabalho estava em moda a "especialização". Isto é, para ganhar mais ou obter uma promoção era necessário "especializar-se". É por isso que os médicos imediatamente procuram especializar-se em algo como ortopedia ou pediatria. O mesmo se aplica a contadores, arquitetos, advogados, pilotos e outros.

Meu pai instruído acreditava no mesmo dogma e ficou empolgado quando finalmente obteve seu doutorado. Ele muitas vezes admitia que as escolas recompensam as pessoas que estudam mais e mais a respeito de menos e menos.

Pai rico me incentivava a fazer exatamente o oposto. "Você precisa saber um pouco sobre várias coisas" era sua sugestão. É por isso que durante anos trabalhei em diferentes áreas de suas empresas. Por um tempo, trabalhei no departamento de contabilidade. Embora eu provavelmente nunca chegasse a ser um contador, ele queria que eu aprendesse por "osmose". Pai rico sabia que eu pegaria o "jargão" e o sentimento daquilo que é importante e do que não é importante. Também trabalhei como ajudante de garçom e como operário na construção, bem como em vendas, reservas e marketing. Ele estava "preparando" Mike e eu. Ele insistia em que nos sentássemos para assistir a seus encontros com diretores de banco, advogados, contadores e corretores. Queria que conhecêssemos um pouco sobre cada aspecto de seu império.

Quando abandonei meu emprego bem pago na Standard Oil, meu pai instruído teve uma conversa séria comigo. Ele estava perturbado. Ele não podia entender minha decisão de largar uma carreira que oferecia salário alto, grandes benefícios, muito tempo de folga e oportunidades de promoção. Quando me perguntou certa noite "Por que você se demitiu?", eu não consegui, por mais que tentasse, explicar para ele. Minha lógica não encaixava com a lógica dele. O grande problema é que minha lógica era a lógica de meu pai rico.

A segurança no emprego era tudo para meu pai instruído. Aprender era tudo para meu pai rico.

Meu pai instruído pensou que eu tivesse ido para o curso para aprender a ser um comandante de navio. Pai rico sabia que eu estava lá para estudar comércio internacional. Enquanto estudava fiz transporte de cargas, naveguei em grandes cargueiros, em navios-tanque e em navios de passageiros pelo Extremo Oriente e pelo Pacífico Sul. Pai rico me incentivava a navegar pelo Pacífico em lugar de ir para a Europa porque sabia que as "nações emergentes" estavam na Ásia e não no velho continente. A maioria de meus colegas de turma, incluindo Mike, ainda participava de festas nas suas fraternidades,* e eu já estudava comércio, gente, estilos de negócio e culturas no Japão, Taiwan, Tailândia, Cingapura, Hong Kong, Vietnã, Coréia, Tahiti, Samoa e Filpinas. Eu também freqüentava festas, mas não em fraternidades. Cresci rapidamente.

Meu pai instruído não conseguia entender por que eu me demitira do emprego e entrara para a Marinha dos EUA. Disse-lhe que queria aprender a voar, mas realmente queria aprender a comandar tropas. Pai rico me explicara que a parte mais difícil da condução de uma empresa é a gestão de pessoas. Ele passara três anos no exército; meu pai instruído tinha sido isento do serviço militar. Pai rico me falou do valor de aprender a liderar pessoas em situações difíceis. "Liderança é o que você precisa aprender agora", dizia. "Se você não for um bom líder, receberá um tiro pelas costas, como ocorre nos negócios."

Ao voltar do Vietnã, em 1973, me desliguei embora adorasse voar. Consegui um emprego na Xerox Corp. Fui para lá por uma razão, e esta não estava nos benefícios. Eu era bastante tímido e a idéia de vender me parecia a coisa mais apavorante do mundo. A Xerox tem um dos melhores programas de treinamento em vendas dos EUA.

Pai rico ficou muito orgulhoso de mim. Meu pai instruído ficou envergonhado. Sendo um intelectual, considerava que os vendedores estavam abaixo dele. Trabalhei na Xerox durante quatro anos, até que superei o medo de bater às portas e ser rejeitado. Ao alcançar, permanentemente, um lugar entre os cinco maiores vendedores, me demiti e fui em frente deixando atrás de mim outra grande carreira em uma ótima empresa.

Em 1977 formei minha primeira empresa. Pai rico preparara Mike e eu para assumirmos empresas. De modo que agora eu precisava formá-las e pô-las a funcionar. Meu primeiro produto, uma carteira de nylon e velcro, era fabricado no Extremo Oriente e remetido a um armazém em Nova York, perto da escola que eu freqüentara. Minha educação formal estava completa e era tempo de testar minhas asas. Se eu fracassasse, estaria falido. Pai rico achava que era melhor quebrar antes dos trinta. "Você ainda tem tempo de se recuperar", era seu conselho. Na véspera de meu trigésimo aniversário, a primeira remessa saiu da Coréia para Nova York.

Hoje, ainda faço negócios internacionais. E conforme me incentivou pai rico, procuro os países emergentes. Minha empresa de investimentos opera na América do Sul, Ásia, Noruega e Rússia.

---

*Nos Estados Unidos, grande parte dos estudantes do ensino superior está associada a fraternidades que são uma espécie de clube e que com freqüência também funcionam como uma espécie de república estudantil onde residem. (N. T.)

Há um velho dito segundo o qual "Emprego é a sigla de Quase Quebrado".* E, infelizmente, eu diria que isso se aplica a milhões de pessoas. Como a escola não acha que inteligência financeira seja inteligência, a maioria dos trabalhadores "vive dentro de suas posses". Trabalham e pagam as contas.

Há outra terrível teoria da administração que diz: "Os empregados trabalham apenas o suficiente para não serem demitidos e os empregadores pagam apenas o suficiente para que os trabalhadores não vão embora." E se você observa a escala salarial da maioria das empresas, diria que há uma certa verdade na afirmação.

O resultado líquido é que, em geral, os trabalhadores não progridem. Eles fazem o que foram ensinados a fazer: "Conseguir um emprego seguro." A maioria dos empregados se concentra em salários e benefícios que os remuneram no curto prazo, mas que são freqüentemente desastrosos no longo prazo.

Já eu recomendo aos jovens que procurem emprego pelas oportunidades de aprendizado, mais do que pelo que possam receber. É preciso ver que habilidades se deseja adquirir antes de escolher uma profissão específica e antes de cair na Corrida dos Ratos.

Uma vez aprisionadas num processo permanente de pagamento de contas, as pessoas se tornam como os pequenos hamsters correndo em suas gaiolas. Suas pequenas pernas peludas correm furiosamente, a roda gira furiosamente, mas dia vai, dia vem, elas ainda estão na mesma gaiola: grande emprego...

No filme *Jerry Maguire*, com Tom Cruise, há grandes bordões. Talvez o mais memorável seja "Mostre-me o dinheiro". Mas há outra frase que me parece mais verdadeira. Aparece na cena em que Tom Cruise está saindo da empresa. Ele acaba de ser demitido e pergunta para toda a empresa: "Quem quer me acompanhar?" E todos permanecem silenciosos e petrificados. Apenas uma mulher se levanta e diz: "Eu gostaria, mas daqui a três meses serei promovida."

A afirmação é provavelmente a mais verdadeira de todo o filme. É o tipo de frase que as pessoas usam para continuar trabalhando de forma a pagar suas contas. Sei que meu pai instruído esperava por seu aumento anual, e todo ano ficava desapontado. Então ele voltava a estudar para se tornar mais qualificado de modo a poder ganhar outro aumento, mas novamente sofria uma decepção.

Freqüentemente pergunto às pessoas: "Para onde essa atividade diária está levando você?" Como o pequeno hamster, duvido que as pessoas olhem para onde seu trabalho árduo as está levando. O que o futuro oferece?

*Expressão que contém um trocadilho intraduzível: *Job is an acronym for "Just Over Broke"*. (N. T.)

Cyril Brickfiel, o antigo diretor executivo da Associação Americana de Aposentados, afirma que "as aposentadorias privadas estão um caos. Em primeiro lugar, 50% da força de trabalho não contam atualmente com fundos de pensão. Apenas isso já deveria ser motivo de grande preocupação. E de 75% a 80% dos demais têm aposentadorias desprezíveis que pagam US$55 ou US$150 ou US$300 por mês".

Em seu livro *The retirement myth* [O mito da aposentadoria], Craig S. Karpel escreve: "Visitei a sede de uma grande empresa nacional de consultoria especializada em aposentadorias e falei com uma diretora administrativa que planeja exuberantes planos para altos executivos. Quando lhe perguntei o que as pessoas comuns poderiam esperar receber como aposentadoria, ela disse com um sorriso confiante: "A Bala de Prata."

– O que é – perguntei – "A Bala de Prata"?

Ela deu de ombros:

– Se os *baby boomers** descobrem que não têm dinheiro suficiente para viver quando forem mais velhos, eles sempre podem dar um tiro nos miolos.

Karpel continua explicando a diferença entre os antigos planos de Benefícios Definidos e os novos planos de Contribuições Programadas que são mais arriscados. Não é um quadro animador para a maioria das pessoas que está trabalhando atualmente. E isso é só a aposentadoria. Quando se acrescentam despesas médicas e casas de repouso para idosos, o quadro se torna aterrador. Em seu livro de 1995, ela indica que as despesas hospitalares variam de US$30 mil a US$125 mil ao ano. Em uma casa de repouso para idosos, sem qualquer mordomia, a anuidade estava em torno de US$88 mil.

Muitos hospitais em países onde a medicina é socializada já têm que tomar decisões dramáticas como "Quem permanecerá vivo e quem vai morrer?" Eles tomam essas decisões com base no orçamento e na idade dos pacientes. Os cuidados médicos são destinados ao paciente mais jovem. O paciente mais velho fica para o fim da fila. Assim como os ricos podem se permitir uma educação melhor, eles também podem se manter vivos enquanto aqueles com pouca fortuna morrem.

Fico imaginando se há trabalhadores pensando no futuro ou se eles apenas se preocupam com o próximo contracheque sem questionar-se sobre o que virá mais adiante?

Quando falo para adultos que querem ganhar mais dinheiro, sempre dou o mesmo conselho. Sugiro que pensem no longo prazo. Em lugar de trabalhar simplesmente pelo dinheiro e pela segurança que são, admito, importantes, sugiro que procurem um segundo emprego onde possam aprender outra habilidade. Muitas vezes recomendo que se integrem a uma empresa

*Expressão usada para a geração nascida após a Segunda Guerra Mundial. (N. T.)

de marketing de rede, também chamado de marketing multinível, se quiserem adquirir habilidades de venda. Algumas dessas empresas têm excelentes programas de treinamento que ajudam as pessoas a superar o medo do fracasso e da rejeição que são as principais razões pelas quais a maioria das pessoas não é bem-sucedida. A instrução vale mais do que o dinheiro, no longo prazo.

Quando ofereço esta sugestão, ouço muitas vezes: "Ah, isso é muito trabalhoso" ou "Só quero fazer o que me interessa".

Quanto à primeira resposta, retruco: "Então o senhor prefere passar a vida entregando 50% do que ganha ao governo?" Quanto à segunda observação, digo: "Eu não tenho interesse em ir à academia de ginástica, mas vou para me sentir melhor e viver mais."

Infelizmente há verdade no velho adágio "Não se podem ensinar truques novos a um cachorro velho". A menos que a pessoa esteja acostumada a mudar, é difícil mudar.

Mas para aqueles que ainda estão sobre o muro em relação à idéia de trabalhar para aprender algo novo, ofereço esta palavra de incentivo: a vida se parece muito com ir à academia. A parte mais difícil é se decidir a começar. Uma vez feito isso, fica fácil. Em muitas ocasiões, ficava temeroso de ir para a academia, mas chegando lá, em movimento, era ótimo. Depois dos exercícios fico feliz de ter me decidido a ir.

Se você não está disposto a trabalhar para aprender algo novo e insiste em se especializar em sua área, assegure-se de trabalhar em uma empresa sindicalizada.* Os sindicatos foram planejados para proteger especialistas.

Meu pai instruído, depois de ter caído em desgraça junto ao governador, tornou-se presidente do sindicato de professores do Havaí. Ele dizia que esse era o trabalho mais pesado que já tivera na vida. Meu pai rico, por outro lado, passou toda sua vida fazendo o possível para que suas empresas não fossem sindicalizadas. Ele foi bem-sucedido. Embora os sindicatos fizessem força, pai rico sempre conseguiu combatê-los.

Pessoalmente, não tomo partido porque posso ver a necessidade e os benefícios de ambas as situações. Se você seguir os conselhos da escola, tornando-se altamente especializado, então procure a proteção do sindicato. Por exemplo, se eu tivesse prosseguido minha carreira de piloto de aviões, eu teria procurado trabalhar em uma empresa em que o sindicato dos pilotos fosse forte. Por quê? Porque minha vida teria sido dedicada a aprender uma habili-

---

*A legislação trabalhista dos EUA considera a possibilidade de empresas em que todos os trabalhadores devam ser sindicalizados e outras em que nenhum seja sindicalizado. Até mais ou menos 1947, eram admitidas empresas em que a contratação de trabalhadores só pudesse ser feita entre sindicalizados. Depois o dispositivo foi modificado para que os trabalhadores pudessem sindicalizar-se após a contratação. (N. T.)

dade que só tem valor em um ramo de atividade. Se eu tivesse que abandonar esse ramo, as minhas habilidades não teriam valor em outra atividade. Um piloto sênior – com 100 mil horas de vôo, ganhando US$150 mil ao ano – teria dificuldades em encontrar um emprego com igual remuneração no ensino escolar. As habilidades não se transferem necessariamente de um ramo de atividades para outro; os pilotos recebem salários altos por possuírem habilidades que não teriam valor, por exemplo, no sistema de ensino.

Atualmente se pode dizer o mesmo até no caso dos médicos. Com todas as mudanças ocorridas na medicina, os especialistas têm que se agrupar em organizações médicas como os planos de saúde. Sem dúvida que professores precisam se sindicalizar. Atualmente no EUA o sindicato dos professores é o maior e mais rico deles. A Associação Nacional de Educação tem uma força política tremenda. Os professores precisam da proteção de seu sindicato porque suas habilidades também têm escasso valor fora da área da educação. De modo que a regra prática é: "Se for altamente especializado, sindicalize-se."

Quando pergunto às minhas turmas "Quais de vocês fazem um hambúrguer melhor do que o do McDonald's?" quase todos levantam a mão. Então pergunto: "Se a maioria de vocês faz um hambúrguer melhor do que o do McDonald's, como pode ser que o McDonald's ganhe mais dinheiro do que vocês?"

A resposta é óbvia: o McDonald's é um ótimo sistema de negócios. A razão pela qual tantas pessoas talentosas são pobres é que elas se concentram na preparação de um melhor hambúrguer e sabem muito pouco sobre sistemas de negócios.

Um amigo meu, do Havaí, é um grande artista. Ganha bastante dinheiro. Um dia o advogado de sua mãe ligou dizendo que ela lhe deixara US$35 mil. Isto é o que sobrou de seus bens depois que o advogado e o governo pegaram sua parte. Imediatamente, ele viu uma oportunidade de aumentar seus negócios usando parte desse dinheiro em publicidade. Dois meses depois, seu primeiro anúncio em cores, de página inteira, apareceu numa revista cara voltada para os muito ricos. O anúncio foi publicado durante três meses. Ele não teve qualquer retorno e toda sua herança foi embora. Agora ele quer processar a revista por ter sido enganado.

Este é um caso típico de alguém que pode fazer um belo hambúrguer mas conhece pouco de negócios. Quando lhe perguntei o que ele tinha aprendido, sua resposta foi que "publicitários são escroques". Então lhe perguntei se ele não gostaria de fazer um curso de vendas e outro de marketing direto. Sua resposta foi: "Não tenho tempo e não quero jogar dinheiro fora."

O mundo está cheio de pessoas talentosas. Com muita freqüência, são pobres ou têm dificuldades financeiras ou ganham menos do que poderiam, não pelo que sabem mas pelo que não sabem. Concentram-se em aperfeiçoar suas habilidades de fazer um melhor hambúrguer em vez de pensar em como vender e entregar esse hambúrguer. Talvez o McDonald's não faça o melhor hambúrguer, mas é o melhor no ofício de vender e entregar um sanduíche básico médio.

Pai pobre queria que eu me especializasse. Era assim que ele achava que se ganhava mais. Mesmo depois de ouvir do governador do Havaí que não poderia mais trabalhar no governo do estado, meu pai instruído continuou me incentivando a me especializar. Pai pobre então encampou a causa do sindicato dos professores, fazendo campanhas por mais proteção e maiores benefícios para esses profissionais altamente especializados e instruídos. Ele nunca entendeu que quanto mais especializado você se torna mais você fica amarrado e dependente dessa especialização.

Pai rico aconselhava Mike e eu a nos "prepararmos". Muitas grandes empresas fazem ao mesmo: procuram jovens recém-formados nas faculdades e começam a "preparar" essas pessoas para exercer, um dia, altos cargos na organização. Esses jovens brilhantes não se especializam em um departamento; eles percorrem os vários departamentos para aprender todos os aspectos dos sistemas de negócios. Os ricos freqüentemente "preparam" seus filhos ou os filhos dos outros. Ao fazê-lo, seus filhos adquirem uma visão geral das operações da empresa e conhecem a inter-relação entre os vários departamentos.

A geração da Segunda Guerra Mundial considerava "ruim" ficar trocando de emprego. Hoje considera-se uma atitude inteligente. Já que as pessoas ficarão mudando de emprego em lugar de buscar maior especialização, por que não pensar em "aprender" mais do que em "ganhar"? No curto prazo, você pode ganhar menos. No longo prazo, resultará em grandes dividendos.

As principais habilidades administrativas necessárias para o sucesso são:

1. Gestão do fluxo de caixa.

2. Gestão de sistemas (incluindo você e o tempo dedicado à família).

3. Gestão de pessoal.

As habilidades especializadas mais importantes são vendas e compreensão da comercialização. É a habilidade de vender – portanto, de comunicar-se com outro ser humano, seja cliente, funcionário, chefe, cônjuge ou filho – a básica para o sucesso pessoal. São habilidades de comunicação como redigir, falar e negociar que são cruciais para uma vida de sucesso. São habilidades que exercito constantemente, fazendo cursos ou comprando fitas educativas para expandir meu conhecimento.

Como já mencionei, meu pai instruído trabalhava cada vez mais arduamente quanto mais competente se tornava. Ele também se via cada vez mais encurralado quanto mais se especializava. Embora seu salário aumentasse, suas escolhas diminuíam. Pouco depois de ter sido mandado embora do trabalho no governo, descobriu como era vulnerável profissionalmente. É semelhante ao que ocorre com os atletas profissionais que de repente sofrem uma lesão ou ficam velhos demais para o esporte. Sua posição bem remunerada é perdida e eles têm habilidades limitadas às quais recorrer. Penso que é por isso que meu pai instruído se envolveu tanto com os sindicatos a partir daí. Ele percebeu quanto o sindicato o poderia ter favorecido.

Atualmente, encontro ex-professores ganhando centenas de milhares de dólares ao ano. Eles ganham tanto porque têm, além das habilidades especializadas de sua área, outras habilidades. Eles podem tanto ensinar quanto vender e comercializar. As habilidades de venda e marketing são difíceis para muitas pessoas sobretudo em decorrência de seu medo da rejeição. Quanto melhor você se comunicar, negociar e lidar com esse medo da rejeição, tanto mais fácil será a vida. Da mesma maneira que aconselhei àquela jornalista que queria tornar-se "autora de best-sellers", repito isso para todos: ter uma especialização técnica tem seus pontos fortes e fracos. Tenho amigos que são gênios, mas não conseguem comunicar-se efetivamente e, em conseqüência, seus ganhos são lamentáveis. Eu os aconselho a passar um ano aprendendo a vender. Mesmo se não ganharem nada, sua capacidade de comunicação melhorará. E isso não tem preço.

Além de sermos bons aprendizes e vendedores e de entendermos de marketing, devemos ser tanto bons professores quanto bons alunos. Para sermos verdadeiramente ricos, devemos ser capazes tanto de dar quanto de receber. Em casos de dificuldades financeiras, freqüentemente, o que falta é dar e receber. Sei de muita gente que é pobre porque não é nem bom estudante nem bom mestre.

Ambos os meus pais eram homens generosos. Ambos tinham como regra primeira o dar. A educação era uma de suas formas de doação. Quanto mais davam mais recebiam. Uma diferença evidente estava na doação de dinheiro. Meu pai rico doava altos montantes. Doava para a igreja, para instituições de caridade, para sua fundação. Ele sabia que para receber dinheiro, você deve dar dinheiro. A doação de dinheiro é o segredo da maioria das grandes famílias ricas. É por isso que existem instituições como a Fundação Rockefeller e a Fundação Ford. São organizações destinadas a tomar a própria riqueza e aumentá-la, bem como a distribuí-la perpetuamente.

Meu pai instruído costumava dizer sempre: "Quando tiver algum dinheiro extra, vou doá-lo." O problema é que nunca havia um extra. Trabalhava sempre mais para conseguir mais dinheiro em lugar de concentrar-se na principal lei do dinheiro “Dai e recebereis”. Ele acreditava no contrário: “Recebe e darás.”

Concluindo, tornei-me ambos os pais. Uma parte de mim é um capitalista convicto que adora o jogo do dinheiro fazendo dinheiro. A outra é o do mestre socialmente responsável que está profundamente preocupado com o crescente hiato que separa os que têm dos que não têm. Acredito que o principal responsável por esse hiato crescente é o sistema de ensino arcaico.

Início

Capítulo Oito

Como superar obstáculos

*M*esmo que as pessoas tenham estudado e se alfabetizado do ponto de vista financeiro, elas ainda podem enfrentar obstáculos para se tornar financeiramente independentes. Há cinco razões principais que levam pessoas financeiramente alfabetizadas a não desenvolver uma coluna de ativos significativa, que poderia render grandes montantes de fluxo de caixa. Colunas de ativos que as poderiam libertar para viver a vida sonhada em lugar de trabalhar em tempo integral apenas para pagar as contas. Essas cinco razões são:

1. Medo.
2. Ceticismo.
3. Preguiça.
4. Maus hábitos.
5. Arrogância.

Razão nº 1. Superar o medo de perder dinheiro. Nunca encontrei alguém que gostasse realmente de perder dinheiro. E em toda minha vida nunca encontrei uma pessoa rica que nunca tivesse perdido dinheiro. Mas encontrei uma porção de gente pobre que nunca perdeu um tostão ... investindo.

O medo de perder dinheiro é real. Todo o mundo tem. Mesmo os ricos. Mas o problema não está no medo, está na maneira de lidar com as perdas. É a maneira de lidar com o fracasso que faz a diferença na vida da gente. Isso serve para qualquer coisa, não apenas para o dinheiro. A principal diferença entre uma pessoa rica e outra pobre está em como elas lidam com esse medo.

Não há nada errado com ter medo. É aceitável ser um covarde quando se trata de dinheiro. Você ainda pode ser rico. Somos todos heróis em algumas circunstâncias e covardes em outras. Uma amiga de minha esposa é enfermeira de um pronto-socorro. Quando vê sangue, entra em ação. Quando falo em investir, ela sai correndo. Quando eu vejo sangue, não fujo. Desmaio.

Meu pai rico entendia as fobias relativas ao dinheiro. "Algumas pessoas têm pavor de cobra. Algumas pessoas têm pavor de perder dinheiro. Ambas são fobias", dizia. Sua solução para a fobia de perder dinheiro era um pequeno verso:

"Se você odeia risco e preocupação ... comece cedo."

É por isso que os bancos aconselham iniciar o hábito da poupança desde a juventude. Se você começar jovem, será fácil ser rico. Não vou me estender sobre isso mas há uma grande diferença entre pessoas que começam a poupar aos vinte anos e as que começam aos trinta. Uma diferença apreciável.

Diz-se que um dos assombros do mundo é o poder dos juros compostos. A aquisição da Ilha de Manhattan é considerada uma das maiores pechinchas de todos os tempos. Nova York foi comprada por US$24 em badulaques e contas de vidro. Contudo, se esses US$24 tivessem sido investidos a juros de 8% ao ano, esses US$24 estariam valendo mais de US$28 trilhões em 1995. Manhattan poderia ser recomprada e ainda sobraria dinheiro para comprar boa parte de Los Angeles, especialmente com os preços de imóveis vigentes em 1995.

Meu vizinho trabalha para uma grande empresa de computadores. Está lá há 25 anos. Em cinco anos ele deixará a empresa com US$4 milhões em seu fundo de pensão privado. O dinheiro está aplicado em fundos mútuos altamente rentáveis, que ele converterá em títulos e papéis do governo. Ao aposentar-se ele estará com 55 e terá um fluxo de caixa de cerca de US$300 mil ao ano, mais do que o seu salário atual. Isto quer dizer que é possível fazer, mesmo se você não quer perder ou odeia riscos. Mas precisa começar cedo e fazer um plano de pensão; além disso, você deveria contratar um consultor financeiro em quem confie antes de investir.

Mas se não tiver muito tempo pela frente ou se quiser aposentar-se mais cedo? Como você lida com o medo de perder dinheiro?

Meu pai pobre não fez nada. Ele simplesmente evitava o assunto, recusando-se a discuti-lo.

Pai rico por outro lado recomendava que eu pensasse como um texano. "Gosto do Texas e dos texanos", falava. "No Texas tudo é maior. Quando os texanos ganham, elas ganham muito. E quando perdem, é espetacular."

– Eles gostam de perder? – perguntei.

– Não estou dizendo isso. Ninguém gosta de perder. Mostre-me um perdedor feliz e eu lhe mostro um fracassado – respondeu pai rico. – É da atitude dos texanos em face do risco, da recompensa e do fracasso que estou falando. É como eles encaram a vida. Eles vivem grande. Não como a maioria do pessoal daqui, que vive como baratas quando se trata de dinheiro. Baratas com medo que alguém jogue um facho de luz em cima delas. Gente que se lamuria quando o empregado do armazém erra o troco por vinte centavos.

Pai rico continuou explicando:

– O que eu mais gosto é da atitude dos texanos. Eles se orgulham de ganhar e se gabam quando perdem. Os texanos têm um ditado: "Se você for quebrar, quebre em grande estilo." Você não vai querer admitir que quebrou por uma ninharia. A maioria das pessoas aqui tem tanto medo de perder que não tem sequer uma ninharia para perder.

Ele falava constantemente com Mike e comigo que a maior razão da falta de sucesso financeiro era que a maioria das pessoas buscava segurança demais. "As pessoas têm tanto medo de perder que elas perdem", costumava dizer.

Fran Tarkenton, que foi um grande zagueiro do futebol americano, dizia isso de outra forma: "Vencer significa não ter medo de perder."

Ao longo de minha vida, observei que os ganhos em geral se seguem às perdas. Antes de aprender a andar de bicicleta, levei muitas quedas. Nunca encontrei um jogador de golfe que não tivesse perdido alguma vez uma bola. Nunca encontrei alguém apaixonado que nunca tivesse tido o coração despedaçado. E nunca encontrei ninguém rico que não tivesse perdido dinheiro.

A maioria das pessoas não obtém ganhos financeiros porque a dor de perder dinheiro é maior do que a alegria de ficar rico. Outro ditado do Texas é: "Todos querem ir para o céu, mas ninguém quer morrer." Todos sonham em ser ricos, mas têm pavor de perder dinheiro. Então nunca se chegará ao céu.

Pai rico costumava contar para Mike e para mim histórias de suas viagens ao Texas. "Se você quer realmente aprender como lidar com o risco, com as perdas e com os fracassos, vá para San Antonio e visite o Álamo. O Álamo é uma grande história de gente corajosa que optou por lutar, sabendo que não havia esperança de sucesso contra a superioridade do inimigo. Eles preferiram morrer a render-se. É uma história inspiradora que merece ser estudada; contudo, não deixa de ser uma trágica derrota militar. Eles levaram um chute no traseiro. Um fracasso, se quiserem. Perderam. Então, como é que os texanos lidam com o fracasso? Eles ainda gritam *Lembre-se do Álamo*!."

Mike e eu ouvimos esta história muitas vezes. Pai rico sempre a repetia quando estava entrando em um grande negócio e ficava nervoso. Depois que tinha estudado tudo e era pegar ou largar, ele nos contava a história. Toda vez que sentia medo de cometer um erro, ou de perder dinheiro, ele nos contava a história. Ela lhe dava força, lembrava-lhe que sempre é possível transformar uma perda financeira em um ganho financeiro. Pai rico sabia que esse fracasso o tornaria mais forte e mais esperto. Não é que ele quisesse perder; apenas sabia quem ele era e como ele aceitaria a perda. Ele pegaria uma perda e a transformaria num ganho. Isso é que o tornava um vencedor e os outros perdedores. A história lhe dava coragem para avançar quando outros recuavam. "É por isso que gosto tanto dos texanos. Eles pegaram um grande fracasso e o transformaram em uma atração turística que lhes rende milhões."

Provavelmente, as palavras que mais significam para mim nos dias de hoje são estas: "Os texanos não escondem seus fracassos. São inspirados por eles. Pegam seus fracassos e os transformam em gritos de guerra. O fracasso inspira os texanos a se tornarem vencedores. Mas isso não é apenas uma fórmula para os texanos. É uma fórmula para todos os vencedores."

É como andar de bicicleta: as quedas foram parte de meu aprendizado. Lembro que elas aumentavam minha determinação de aprender. Não a diminuíam. Também disse que nunca encontrei um jogador de golfe que nunca tivesse perdido uma bola. Perder uma bola ou um torneio serve de inspiração aos jogadores de golfe para serem melhores, praticarem mais, estudarem mais. Isso é o que os aperfeiçoa. Para os vencedores, os fracassos são uma inspiração. Para os perdedores, o fracasso é uma derrota.

Citando John D. Rockefeller: "Sempre tentei transformar cada fracasso em uma oportunidade."

Sendo nipo-americano, posso falar o seguinte. Muitas pessoas dizem que Pearl Harbor foi um erro americano. Eu digo que foi um erro japonês. No filme *Tora, Tora, Tora*, um sombrio almirante japonês diz a seus subordinados: "Receio que tenhamos acordado um gigante adormecido." "Lembre-se de Pearl Harbor" tornou-se um grito de guerra. Transformou uma das maiores derrotas dos EUA em uma razão para vencer. Esta grande derrota deu força aos EUA que logo se transformou em uma potência mundial.

O fracasso inspira os vencedores. E o fracasso derrota os perdedores. É o maior segredo dos ganhadores. É o segredo que os perdedores não conhecem. O maior segredo dos vencedores é que o fracasso inspira a vitória; por isso, eles não têm medo de perder. Repetindo Fran Tarkenton: "Vencer significa não ter medo de perder." Pessoas como Tarkenton não têm medo de perder porque sabem quem são. Odeiam perder, de modo que sabem que o fracasso apenas as incentivará a se tornarem melhores. Há uma grande diferença entre detestar perder e ter medo de perder. A maioria das pessoas tem tanto medo de perder dinheiro que acaba perdendo. Elas quebram por uma ninharia. Financeiramente desejam segurança demais e têm um horizonte estreito. Compram casas grandes e carros grandes, mas não fazem grandes investimentos. A principal razão que leva 90% dos americanos a ter problemas financeiros é que eles jogam para não perder. Não jogam para ganhar.

Eles procuram seus consultores financeiros ou seus contadores ou seus corretores e adquirem um portfólio equilibrado. Muitos aplicam altas somas em Certificados de Depósito, em títulos de baixo rendimento, em fundos mútuos e em poucas ações. É um portfólio seguro e inteligente. Mas não é um portfólio vencedor. É o portfólio de quem não quer perder.

Não me entenda mal. É provavelmente um portfólio melhor do que o da média da população, mas isso é apavorante. Um portfólio seguro é melhor do que nenhum portfólio. É um grande portfólio para quem adora a segurança. Mas buscar a segurança e o "equilíbrio" em seu portfólio de aplicações não é a forma como jogam os investidores bem-sucedidos. Se você tem pouco dinheiro e quer ficar rico, você deve estar "focado", não "equilibrado". Se você observar qualquer pessoa bem-sucedida, verá que no início elas não estavam equilibradas. Pessoas equilibradas não vão a lugar algum. Ficam em um lugar. Para progredir é preciso, no início, de um desequilíbrio. Veja como você progride quando anda.

Thomas Edison não estava equilibrado. Estava focado. Bill Gates não estava equilibrado. Estava focado. Donald Trump está focado. George Soros está focado. George Patton não distribuiu seus tanques por uma área ampla. Ele os focou e arrasou os pontos fracos da linha alemã. Os franceses se espalharam pela Linha Maginot e você sabe o que aconteceu com eles.

Se você tem algum desejo de ser rico, você deve focar. Pôr uma porção de ovos em umas poucas cestas. Não fazer o que fazem os pobres e a classe média: põem poucos ovos em muitas cestas.

Se você odeia perder, procure a segurança. Se perder o enfraquece, procure a segurança. Procure aplicações equilibradas. Se você tem mais de 25 anos e está apavorado em assumir riscos, não mude. Procure a segurança, mas comece cedo. Comece a formar suas poupanças cedo porque vai levar tempo.

Mas se você tem sonhos de liberdade, a primeira coisa a perguntar-se é: "Qual a minha reação ante o fracasso?" Se o fracasso o inspirar a ganhar, talvez você deva seguir adiante – mas só talvez. Se o fracasso o enfraquece ou o leva ao desespero – como os garotos mimados que correm ao advogado para processar alguém toda vez que as coisas não saem do seu jeito – então procure a segurança. Fique com seu emprego. Ou compre títulos ou fundos mútuos. Mas lembre que esses instrumentos financeiros também têm seus riscos, mesmo sendo mais seguros.

Digo tudo isso, citando os texanos e Fran Tarkenton, porque aumentar a coluna de ativos é fácil. É realmente um jogo que não exige grandes atitudes. Não exige muita instrução. A matemática do primeiro grau resolve. Mas aumentar a coluna de ativos é um jogo de atitude. Exige garra, paciência e resistência ante o fracasso. Os perdedores evitam o fracasso. E o fracasso transforma perdedores em vencedores, lembre-se do Álamo.

Razão nº 2. Superar o ceticismo. "O céu está caindo. O céu está caindo." Todos nós conhecemos a história da galinha pessimista, que corria em torno do terreiro anunciando o fim do mundo. Todos conhecemos gente assim. Mas todos temos uma "galinha pessimista" dentro de nós.

Como já disse em outra ocasião, o cético é verdadeiramente uma galinha pessimista. Todos nós parecemos com a galinha pessimista quando o medo e a dúvida toldam nossos pensamentos.

Todos nós temos dúvidas. "Não sou inteligente." "Não sou tão bom assim." "Fulano é melhor do que eu." Nossas dúvidas muitas vezes nos paralisam. Jogamos o jogo do "E se?". "E se a economia entrar em colapso logo depois de eu fazer o investimento?" "E se eu me descontrolar e não conseguir pagar as dívidas?" "E se as coisas não funcionarem como planejado?" Ou temos amigos ou pessoas amadas que nos lembram sempre nossas falhas. Eles dizem freqüentemente: "O que o faz pensar que você pode fazer isso?" "Se fosse uma idéia tão boa, então como foi que ninguém se lembrou disso antes?" "Isso nunca vai dar certo. Você não sabe do que está falando." Essas palavras de dúvida muitas vezes calam tão profundamente que deixamos de agir. Um sentimento horrível aperta nosso estômago. Às vezes não conseguimos dormir. Não andamos para a frente, de modo que ficamos com a segurança e abandonamos as oportunidades. Observamos a vida passando por nós enquanto sentamos imobilizados com um frio no corpo. Todos já passamos por isso na vida, alguns mais do que outros.

Peter Lynch, do Fidelity Magellan, um conhecido fundo mútuo, faz advertências sobre o céu que despenca como um "ruído" e todos nós o ouvimos. O "ruído" pode ser criado dentro de nossa cabeça ou vir de fora. Muitas vezes de amigos, famíliares, colegas ou da mídia. Lynch lembra o tempo, na década de 1950, em que a ameaça de uma guerra nuclear era tão comum no noticiário que as pessoas começaram a construir abrigos antinucleares e a estocar alimentos e água. Se elas investissem esse dinheiro sabiamente no mercado, em lugar de construir os abrigos, provavelmente teriam atingido a independência financeira nos dias de hoje.

Quando explodiram os motins em Los Angeles há alguns anos, as vendas de armas aumentaram em todo o país. Uma pessoa morreu depois de ter ingerido um hambúrguer malpassado no estado de Washington e o Departamento de Saúde do Arizona determinou que os restaurantes preparassem somente carne bem-passada. Uma empresa farmacêutica divulgou nacionalmente um anúncio de televisão mostrando pessoas gripadas. O anúncio foi divulgado em fevereiro. Os casos de gripe aumentaram bem como as vendas do medicamento anunciado.

A maioria das pessoas é pobre porque quando se trata de investir, o mundo está cheio de "galinhas pessimistas" que correm gritando "O céu está caindo. O céu está caindo". E as galinhas pessimistas atingem seus objetivos porque todos temos um pouco de galinha pessimista. Muitas vezes é necessário coragem para não permitir que rumores e anúncios de desastres afetem nossas dúvidas e medos.

Em 1992, um amigo chamado Richard foi de Boston a Phoenix para visitar minha mulher e eu. Ele estava impressionado com o que tínhamos feito por meio de ações e imóveis. Os preços dos imóveis em Phoenix estavam deprimidos. Passamos dois dias mostrando-lhe o que considerávamos excelentes oportunidades de geração de fluxo de caixa e de valorização de capital.

Minha mulher e eu não somos verdadeiramente corretores imobiliários. Somos apenas investidores. Depois de identificar uma unidade em um condomínio de lazer, chamamos o corretor que a vendeu para Richard naquela mesma tarde. O preço era de apenas US$42 mil para uma casa de dois quartos. Unidades semelhantes estavam sendo vendidas a US$65 mil. Meu amigo achou que era uma pechincha, fechou o negócio e voltou a Boston.

Duas semanas depois o corretor ligou dizendo que meu amigo tinha voltado atrás. Liguei imediatamente para ele a fim de saber o que ocorrera. Tudo o que ele disse foi que falou com um vizinho e este lhe disse que era um mau negócio. O preço era alto demais.

Perguntei a Richard se o vizinho era um investidor. Richard respondeu "não". Quando lhe perguntei por que, então, lhe dava ouvidos, meu amigo partiu para a defensiva e simplesmente disse que preferia procurar um pouco mais.

O mercado imobiliário de Phoenix se recuperou e, por volta de 1994, aquela pequena unidade estava sendo alugada por US$1 mil mensais – US$2,5 mil nos meses de inverno. Seu valor alcançava, em 1995, US$95 mil. Tudo o que Richard teria precisado era dar uma entrada de US$5 mil e já teria dado o primeiro passo para sair da Corrida dos Ratos. Até hoje ele não fez nada.

E as pechinchas de Phoenix ainda estão aí, só que agora é preciso procurar bem mais.

O recuo de Richard não me surpreendeu. É chamado "remorso do comprador" e afeta a todos. São essas dúvidas que atrapalham. A galinha pessimista ganhou e perdeu-se uma chance de libertação.

Outro exemplo. Uma pequena parte de meus ativos está aplicada em Certificados de Gravame de Impostos* em lugar de Certificados de Depósitos. Assim, meu dinheiro rende 16% ao ano, o que sem dúvida é melhor do que os 5% que o banco oferece. Esses certificados são garantidos por imóveis e são estabelecidos por leis estaduais, o que também é melhor do que o que a maioria dos bancos oferece. A fórmula em que estão embasados os torna seguros. Eles só não têm liquidez. De modo que eu os considero Certificados de Depósito com prazo de dois a sete anos. Sempre que menciono para alguém, especialmente para aqueles que aplicam em Certificados de Depósito, que também aplico daquela forma, ouço dizer que se trata de uma opção arriscada. Dizem que eu não deveria aplicar nesses títulos. Quando pergunto como obtiveram essa informação, mencionam um amigo ou uma revista de negócios. Eles nunca aplicaram nisso e falam para quem o faz que é um equívoco fazê-lo. O rendimento mais baixo que procuro é 16%, mas pessoas cheias de dúvidas se conformam com 5%. A dúvida é cara.

Quero ressaltar que são essas dúvidas e esse ceticismo que mantêm muitas pessoas na pobreza, correndo atrás da segurança. O mundo real está aí esperando que você enriqueça. Só as dúvidas mantêm as pessoas na pobreza. E, como já disse, sair da Corrida dos Ratos é tecnicamente fácil. Não requer muita instrução, mas as dúvidas são um obstáculo para muita gente.

"Os céticos nunca ganham", dizia pai rico. "A dúvida não esclarecida e o medo criam o cético. Os céticos criticam e os vencedores analisam" era outra de suas frases favoritas. Pai rico explicava que a crítica cegava enquanto a análise abria os olhos. A análise permitia que os vencedores vissem que os críticos eram cegos e que percebessem oportunidades que todos os demais não percebiam. E encontrar o que os outros não vêem é a chave para qualquer sucesso.

---

* Em boa parte dos estados americanos, a inadimplência no pagamento de impostos prediais é punida com multa e eventualmente o imóvel pode ir a leilão. Como a dívida do imposto predial se sobrepõe a qualquer outro ônus que possa pesar sobre o imóvel, criou-se um mecanismo pelo qual pessoas ou instituições se responsabilizam pelo pagamento do imposto em troca do recebimento da multa ou da aquisição do imóvel inadimplente. Como o retorno desta aplicação depende de vários fatores (legitimidade do título de propriedade, localização do imóvel etc.) que implicam trabalho de pesquisa para o aplicador, instituições financeiras passaram a se encarregar de fazer isso, no atacado, e emitem títulos ao público embasados em tais direitos. (N. T.)

Os imóveis são uma poderosa ferramenta de investimento para quem esteja em busca da independência financeira. É um instrumento único. Contudo, sempre que menciono os imóveis como uma aplicação, ouço alguém dizer: "Não quero consertar vasos sanitários." Isso é o que Peter Lynch chama de "ruído". É o que pai rico chamava de conversa de cético. Alguém que critica e não analisa. Alguém que deixa que suas dúvidas e medos fechem sua mente em vez de abrir seus olhos.

Quando alguém fala "Não quero consertar vasos sanitários", tenho vontade de retrucar: "E o que o faz pensar que eu quero?" Eles estão dizendo que um vaso é mais importante do que aquilo que eles querem. Eu falo de liberação da Corrida dos Ratos, e eles pensam em vasos sanitários. Esse é o padrão de pensamento que mantém muita gente na pobreza. Criticam em vez de analisar.

"A chave de seu sucesso está nos *não quero*", dizia pai rico.

Eu também não estou a fim de consertar vasos sanitários, procuro sempre um bom administrador de imóveis que conserte os vasos. E ao encontrar um bom administrador que cuide bem dos imóveis, meu fluxo de caixa aumenta. Mais importante ainda, um bom administrador de imóveis me permite comprar ainda mais imóveis, pois não preciso me preocupar com o conserto dos vasos sanitários. Um bom administrador de imóveis é a chave para o sucesso com imóveis. Achá-lo é mais importante do que o próprio imóvel. Um bom administrador muitas vezes sabe de bons negócios antes dos corretores, o que os torna ainda mais valiosos.

É isso o que meu pai rico queria dizer quando falava "A chave de seu sucesso está nos *não quero*". Como eu também não quero consertar vasos, descobri uma forma de comprar mais imóveis e apressar minha saída da Corrida dos Ratos. As pessoas que continuam falando "Não quero consertar vasos sanitários", muitas vezes se privam deste poderoso instrumento de investimento. Os vasos são mais importantes que sua liberdade.

No mercado de ações ouço muita gente declarar: "Não quero perder dinheiro." Bom, e o que os leva a pensar que eu, ou qualquer outra pessoa, gosta de perder dinheiro? Eles não ganham dinheiro porque optam por não perder dinheiro. Em lugar de analisar, fecham suas mentes a outro poderoso meio de investimento, o mercado de ações.

Em dezembro de 1996, estava passando com um amigo pelo posto de gasolina do bairro. Ele olhou e viu que o preço da gasolina estava aumentando. Meu amigo é um cara encucado, uma "galinha pessimista". Para ele o céu está sempre a ponto de cair, e em geral cai sobre sua cabeça.

Quando chegamos em casa, ele me expôs todas as estatísticas que mostravam por que o preço do petróleo deveria aumentar nos próximos anos. Estatísticas que eu nunca vira antes, mesmo quando eu já tinha um substancial bloco de ações de uma empresa petrolífera. Com essa informação em mãos comecei a procurar e achei uma nova empresa petrolífera que estava a ponto de descobrir algumas jazidas. Meu corretor ficou entusiasmado com essa nova empresa e eu comprei 15 mil ações por 65 centavos cada uma.

Em fevereiro de 1997, enquanto escrevo este livro, o mesmo amigo e eu passamos pelo mesmo posto de gasolina e, de fato, o preço do combustível subira cerca de 15%. Novamente, a "galinha pessimista" se preocupou e se queixou. Eu sorri porque em janeiro desse mesmo ano, o preço daquelas ações da pequena empresa petrolífera já valiam US$3 cada uma. E o preço da gasolina deverá continuar aumentando, se o que meu amigo diz for verdade.

Em vez de analisar, as galinhas pessimistas fecham suas mentes. Se a maioria das pessoas entendesse como uma ordem de "stop" funciona nos investimentos em ações, haveria mais gente investindo para ganhar do que para não perder. O "stop" é simplesmente um comando de computador que vende automaticamente suas ações se o preço começa a cair, ajudando-o a minimizar as perdas e a maximizar alguns ganhos. É uma grande ferramenta para aqueles que têm pavor de perder.

Por isso, sempre que ouço pessoas preocupadas com os "Não quero" em vez de pensar no que querem, sei que o "ruído" em suas cabeças deve ser grande. A galinha pessimista se apoderou delas e grita "O céu caiu e os vasos sanitários estão enguiçando". Assim elas evitam seus "Não quero" mas pagam um preço alto. Nunca conseguirão o que querem na vida.

Pai rico me mostrou uma maneira de olhar para a galinha pessimista. "Faça o que fez o coronel Sanders." Com 66 anos de idade, ele perdeu seu negócio e começou a viver da aposentadoria da Seguridade Social. Não era o suficiente. Ele começou a percorrer o país tentando vender sua receita de galinha frita. Ela foi recusada 1.009 vezes antes que alguém dissesse "sim". E ele acabou se tornando um multimilionário numa idade em que a maioria das pessoas está desistindo. "Ele era um homem corajoso e tenaz", dizia pai rico a respeito de Harlan Sanders.

Assim, quando você estiver em dúvida e um pouco receoso, faça o que o coronel Sanders fez com sua galinha. Ele a fritou.

Razão nº 3. Preguiça. Pessoas ocupadas são, com freqüência, preguiçosas. Todos nós conhecemos histórias do homem de negócios que trabalha arduamente para ganhar dinheiro. Ele dá duro para ser um bom provedor de sua mulher e de seus filhos. Ele passa longas horas no escritório e leva trabalho para casa nos fins de semana. Um dia, ao chegar em casa, encontra-a vazia. Sua esposa foi embora com as crianças. Ele sabia que estava tendo problemas com a esposa, mas em vez de esforçar-se em fortalecer a relação, ele se dedicou ao trabalho. Desiludido, seu desempenho no emprego declina e ele é demitido.

Hoje em dia, encontro freqüentemente gente muito ocupada para cuidar de sua riqueza. E há pessoas muito ocupadas para cuidar da própria saúde. A causa é a mesma. Estão ocupadas e continuam ocupadas como forma de evitar algo que não desejam enfrentar. Ninguém precisa lhes dizer isso. No seu íntimo elas sabem. De fato, se você falar sobre o assunto com elas, elas respondem muitas vezes com raiva ou irritação.

Se não estão ocupadas com o trabalho ou com as crianças, muitas vezes estão ocupadas assistindo à televisão, pescando, jogando golfe ou fazendo compras. Contudo, lá no fundo sabem que estão fugindo de algo importante. Essa é a forma mais comum de preguiça. A preguiça mantendo-se ocupado.

E qual é a cura para a preguiça? A resposta está em um pouco de ambição.

Muitos de nós fomos educados pensando que a ambição ou a ganância é algo ruim. "Pessoas gananciosas são más", dizia minha mãe. Contudo, todos nós temos o desejo de possuir coisas belas, novas ou empolgantes. Para manter essa emoção de desejo sob controle, muitas vezes os pais encontram formas de suprir esse sentimento com culpa.

"Você só pensa em você mesmo, não sabe que tem irmãos e irmãs?" – era uma das frases favoritas de minha mãe. Ou "Você quer que eu compre o que para você?", repetia meu pai. "Você pensa que fabricamos dinheiro? Você pensa que o dinheiro dá em árvore? Você sabe que não somos ricos."

Não eram tanto as palavras, mas o sentimento de culpa que as acompanhava, o que me deixava possesso.

O reverso da criação desse sentimento de culpa era: "Sacrifico minha vida para lhe comprar isto. Estou comprando para você porque nunca tive coisas assim quando criança." Tenho um vizinho que está totalmente falido, mas que não consegue colocar o carro na sua garagem. A garagem está cheia de brinquedos das crianças. Esses garotos mimados têm tudo o que sonham. "Não quero que saibam o que é passar necessidade", diz o pai. Ele não tem um tostão guardado para mandar os filhos para a universidade ou para ele mesmo se aposentar, mas seus filhos têm todos os brinquedos possíveis. Recentemente recebeu pelo correio um novo cartão de crédito e levou os filhos para conhecer Las Vegas. "Faço isso pelos garotos", diz com ar de grande sacrifício.

Pai rico proibia que se dissesse "Não dá para comprar".

Na casa de minha família de verdade, escutava isso a toda hora. Já pai rico queria que seus filhos dissessem: "Como posso comprar isso?" Ele considerava que as palavras "Não dá para comprar" fechavam o cérebro. Você não precisava pensar mais. "Como posso comprar isso?" era uma forma de abrir a mente. Obrigava você a pensar e buscar alternativas.

Mais importante do que isso, ele considerava que "Não dá para comprar" é uma mentira. E o espírito humano sabe disso. "O espírito humano é poderoso, muito poderoso", dizia. Quando sua mente preguiçosa repete "Não dá para comprar", uma guerra se estabelece dentro de você. Seu espírito se enfurece, e sua mente preguiçosa deve defender a mentira dita. O espírito grita: "Vamos. Vamos para Academia fazer exercícios". E a mente preguiçosa responde: "Estou cansada. Trabalhei muito hoje." Ou o espírito humano diz: "Estou cansado de ser pobre. Vamos sair daqui e enriquecer." E a mente preguiçosa fala: "Pessoas ricas são gananciosas. Além disso, dá muito trabalho. Não é seguro. Posso perder dinheiro. Do jeito que está já trabalho muito. Já tenho que fazer coisa demais no emprego. Veja o que tenho que fazer hoje à noite. O chefe quer que eu entregue de manhã."

"Não dá para comprar" também traz tristeza. Uma sensação de desamparo que leva ao desânimo e muitas vezes à depressão. "Apatia" é outra palavra que se aplica. "Como posso comprar isso?" abre possibilidades, empolgação e sonhos. Pai rico não estava tão preocupado com o que você queria comprar, mas esse "Como posso comprar isso?" fortalecia a mente e dinamizava o espírito.

Assim, raramente ele dava alguma coisa a Mike ou a mim. Em vez disso perguntava "Como você pode comprar isso?", e isso incluía a mensalidade da universidade que nós tínhamos que pagar com nosso dinheiro. Não era o objetivo, mas o processo de atingir o objetivo que desejávamos o que ele procurava passar para nós.

O problema é que hoje sinto que milhões de pessoas se sentem culpadas por sua ambição. É um condicionamento que vem da infância. Elas desejam ter as melhores condições que a vida oferece. A maioria foi condicionada, entretanto, a dizer subconscientemente "Você não pode ter isso" ou "Você não conseguirá comprar isso nunca".

Quando decidi sair da Corrida dos Ratos, havia uma questão simples: "Como posso conseguir não voltar a trabalhar mais?" E minha mente começou a disparar respostas e soluções. A parte mais difícil foi romper com os dogmas de minha família de verdade... "Não podemos comprar isso" ou "Pare de pensar só em você" ou "Por que você não pensa nos outros?" e outras expressões parecidas que se destinavam a criar culpa e suprimir minha ambição.

Assim, como combater a preguiça? A resposta está em um pouco de ambição. É como diz aquela estação de rádio, a WII-FM, *O que há aí para mim?* A pessoa precisa sentar e pensar. "O que há aí para mim se sou saudável, sexy e tenho boa aparência?" "Como seria minha vida se eu nunca tivesse que voltar a trabalhar?" "O que seria de mim se eu tivesse todo o dinheiro de que preciso?" Sem esse pouco de ambição, não há o desejo de ter algo melhor, de progredir. Vamos à escola e estudamos muito porque queremos algo melhor. Então sempre que você se flagrar evitando algo que você sabe que deveria fazer, a única coisa a fazer é perguntar-se *O que há aí para mim?* Seja um pouco ambicioso. É a melhor cura para a preguiça.

Contudo, ambição demais, como todo exagero, não é bom. Mas lembre o que Michael Douglas falava no filme *Wall Street*: "A ambição é boa." Pai rico falava de forma diferente: "A culpa é pior do que a ambição, pois a culpa nos rouba a alma." E, para mim, quem falou melhor foi Eleanor Roosevelt: "Faça o que seu coração acha certo – de qualquer forma você será criticado. Você estará perdido se fizer e perdido se não fizer."

Razão nº 4. Maus hábitos. Nossas vidas são mais um reflexo de nossos hábitos do que de nossa educação. Depois de ver o filme *Conan*, protagonizado por Arnold Schwarzenegger, um amigo falou:

– Adoraria ter o corpo de Schwarzenegger – vários caras concordaram.

– Ouvi dizer que antes ele ela magro e fraco – acrescentou outro amigo.

– Também já ouvi isso – acrescentou outro. – Dizem que ele malha todos os dias na academia.

– Aposto que sim.

– O quê? – exclamou o cínico do grupo. – Aposto que é assim de nascença. Vamos mudar de assunto e tomar umas cervejas.

Este é um exemplo de comportamento controlado pelos hábitos. Lembro-me de fazer perguntas a pai rico sobre os hábitos dos ricos. Em vez de dar uma resposta direta, ele tentou ensinar pelo exemplo como costumava fazer.

– Quando seu pai paga as contas dele? – perguntou pai rico.

– No início do mês – respondi.

– E sobra alguma coisa? – prosseguiu pai rico.

– Pouco – disse eu.

– É por isso que ele tem dificuldades – falou pai rico. – Ele tem maus hábitos. Seu pai paga primeiro todos os outros. Ele paga a si mesmo por último, mas só se sobrar alguma coisa.

– O que em geral não acontece – comentei. – Mas ele tem que pagar as contas, não tem? O senhor está dizendo que ele não deveria pagar as contas?

– Claro que não – disse pai rico. – Acredito firmemente em pagar minhas contas no prazo. Só que eu pago a mim mesmo em primeiro lugar. Mesmo antes de pagar ao governo.

– Mas o que acontece se o senhor não tiver dinheiro que chegue? – retruquei. – O que o senhor faz então?

– A mesma coisa – prosseguiu pai rico. – Primeiro pago a mim mesmo. Mesmo se tiver pouco dinheiro. Minha coluna de ativos é muito mais importante para mim do que o governo.

– Mas – continuei – eles não vão atrás do senhor?

– Sim, se você não pagar – disse pai rico. – Olhe, não estou falando para não pagar. Só que eu pago a mim mesmo primeiro, mesmo quando tenho pouco dinheiro.

– Mas como é o que o senhor consegue isso? – disse eu.

– A questão não é como. A questão é por quê? – replicou pai rico.

– OK, por quê?

– Motivação – falou pai rico. – Quem reclamará mais se eu não pagar – eu ou meus credores?

– Sem dúvida os credores gritarão mais alto – respondi à pergunta óbvia. – O senhor não faria nada se não se pagasse a si próprio.

– Está vendo, depois de pagar a mim mesmo, a pressão para pagar meus impostos e os demais credores é tão grande que me obriga a buscar outras formas de renda. A pressão para pagar se torna uma motivação. Já tive empregos extras, comecei outros empreendimentos, negociei na bolsa, qualquer coisa para ter certeza de que esses caras não ficassem gritando comigo. Essa pressão me fez trabalhar mais, me obrigou a pensar, e tudo isso me tornou mais esperto e mais ativo no que se refere ao dinheiro. Se eu deixasse para me pagar no final, não teriam sentido as pressões, e estaria quebrado.

– Quer dizer que é o medo do governo ou de outras pessoas a quem deve dinheiro que o motiva?

– Certo – disse pai rico. – Você vê, o pessoal do governo é forte. Os demais credores também. A maioria das pessoas se rende a esses tiranos. Elas pagam a eles e nunca se pagam a si próprias. Você conhece a história do fracote a quem atiram areia na cara?

Abanei a cabeça afirmativamente:

– Já vi esse anúncio de aulas de fisiculturismo nos gibis muitas vezes.

– Bem, grande parte das pessoas deixa que os fortes lhes joguem areia na cara. Eu decidi usar o medo do tirano para me tornar mais forte. Outros ficam mais fracos. Ao me forçar a pensar em como ter mais dinheiro, estou fazendo como quem vai malhar na academia. Quanto mais trabalho os músculos de minha mente, mais forte me torno. Agora não tenho medo desse pessoal.

Gostei do que pai rico estava falando.

– Então se eu pagar a mim mesmo primeiro, ficarei mais forte financeira, mental e fisicamente.

Pai rico concordou.

– E se eu me pagar por último, ou deixar de me pagar, fico mais fraco. Chefes, administradores, credores e locadores ficarão me perturbando a vida inteira, só porque não tenho bons hábitos quanto ao dinheiro.

– Igualzinho ao fracote do anúncio – disse pai rico.

Razão nº 5. A arrogância é ego mais ignorância.

"O que eu sei me faz ganhar dinheiro. O que eu não sei me faz perder dinheiro. Toda vez que fui arrogante, perdi dinheiro, porque quando sou arrogante, acredito mesmo que o que não sei não é importante", repetia freqüentemente pai rico.

Descobri que muita gente usa a arrogância para tentar esconder a própria ignorância. Isso costuma acontecer quando discuto demonstrações financeiras com contadores ou até com outros investidores. Eles tentam forçar caminho na discussão. Para mim, fica claro que não sabem do que estão falando. Não estão mentindo, mas também não estão falando a verdade.

Há muita gente no mundo do dinheiro, das finanças e do investimento que não tem nenhuma idéia do que está falando. A maioria das pessoas do setor fica fazendo proposições de venda vazias como as de um vendedor de carros usados.

Quando você for ignorante a respeito de um assunto, comece a instruir-se achando um especialista ou um livro sobre o tema.

Capítulo Nove

Em ação

Gostaria de poder dizer que adquirir riqueza foi fácil, mas não foi.

Para responder à pergunta "Como começo?", apresento o processo pelo qual passei dia-a-dia. É realmente fácil encontrar bons negócios. Garanto isso. É como andar de bicicleta. Depois de algumas peripécias, vira um passeio. Mas quando se trata de dinheiro, a determinação para ultrapassar a fase das peripécias é uma decisão pessoal.

Descobrir "negócios únicos na vida", de milhões de dólares, exige que convoquemos nosso gênio financeiro. Acredito que em cada um de nós reside um gênio financeiro. O problema é que ele está adormecido, esperando ser despertado. Está adormecido porque nossa cultura nos educa para acreditar que o amor ao dinheiro é a raiz de todos os males. Ela nos incentiva a aprender uma profissão para que possamos trabalhar pelo dinheiro, mas não nos ensina a fazer o dinheiro trabalhar para nós. Ela nos ensina a não nos preocupar com nosso futuro financeiro, o governo ou a empresa cuidarão de nós quando chegar o dia da aposentadoria. Contudo, são nossos filhos, formados no mesmo sistema de ensino, que acabarão pagando por ela. A mensagem é trabalhar arduamente, ganhar e gastar o dinheiro, e quando ele faltar sempre poderemos tomar emprestado.

Infelizmente, 90% do mundo ocidental aceita essa teoria, simplesmente porque é mais fácil encontrar um emprego e trabalhar pelo dinheiro. Se você não faz parte dessa "massa", eu lhe mostrarei os dez passos para despertar seu gênio financeiro. São simplesmente os passos que eu segui. Se quiser tentar alguns deles, ótimo. Se não, escolha os seus. Seu gênio financeiro é suficientemente esperto para desenvolver sua própria lista.

Falando no Peru, com um garimpeiro de 45 anos, eu lhe perguntei por que ele tinha tanta confiança em encontrar uma mina de ouro. Ele respondeu: "Há ouro em todo lugar. A maioria das pessoas não está treinada para vê-lo."

E eu diria que isso é verdade. Quanto a imóveis, posso sair qualquer dia e achar quatro ou cinco bons negócios em potencial, onde uma pessoa comum não encontra nada. Mesmo procurando no seu bairro. A razão é que ela não dedica tempo para desenvolver seu gênio financeiro.

Os dez passos a seguir são um processo que pode ajudá-lo a desenvolver os poderes que Deus lhe deu. Poderes que só você pode controlar.

1. *PRECISO DE UMA RAZÃO MAIOR DO QUE A REALIDADE.* O poder do espírito. Se você perguntar à maioria das pessoas se elas desejariam ser ricas ou financeiramente independentes, elas responderão "sim". Mas então caem na realidade. A estrada parece demasiadamente longa, com muitas montanhas a escalar. É mais fácil trabalhar pelo dinheiro e colocar o que sobra nas mãos do corretor.

Certa vez conheci uma jovem que sonhava participar da equipe olímpica de natação dos EUA. Ela acordava todos os dias às 4:00 para treinar durante três horas antes de ir à faculdade. Ela não ia a festas com os amigos nas noites de sábado. Ela tinha que estudar para obter notas altas como todo o mundo.

Quando lhe perguntei o que a levava a essa ambição e a esse sacrifício sobre-humano, ela simplesmente respondeu: "Faço isso por mim mesma e pelas pessoas que amo. É o amor que me leva a superar obstáculos e sacrifícios."

Uma razão ou um propósito é uma combinação de alguns "quero" e alguns "não quero". Quando as pessoas me perguntam qual a razão que me levou a querer ser rico, digo que foi a combinação profunda e emocional dos "quero" e "não quero"..

Listarei alguns. Primeiro os "não quero", pois são eles que criam os "quero". Não quero trabalhar a vida inteira. Não quero o que meus pais aspiravam para mim, que era segurança no emprego e uma casa no subúrbio. Não quero ser um empregado. Odiava quando meu pai não assistia a meus jogos de futebol porque estava ocupado com sua carreira. Odiava ver meu pai trabalhando arduamente, e o governo levando boa parte do que ele tinha obtido quando morreu. Ele não pôde nem mesmo deixar para os filhos aquilo pelo qual tinha trabalhado tanto. Os ricos não fazem isso. Eles trabalham arduamente e deixam um legado para seus filhos.

Agora os "quero". Quero ser livre para viajar por todo o mundo e viver o estilo de vida que gosto. Quero fazer isso ainda jovem. Quero ser simplesmente livre. Quero controlar meu tempo e minha vida. Quero que o dinheiro trabalhe para mim.

Essas são minhas razões emocionais profundas. Quais são as suas? Se elas não forem suficientemente fortes, então a realidade da estrada à frente pode ser maior do que suas razões. Perdi dinheiro e tive vários fracassos, mas foram essas razões emocionais que me mantiveram de pé e me fizeram prosseguir. Queria ser livre por volta dos quarenta anos, mas precisei esperar até os 47 com muitas experiências de aprendizado ao longo do caminho.

Como disse, gostaria de dizer que foi fácil. Mas não foi, mas também não foi duro. Sem uma forte razão ou propósito, aí sim, qualquer coisa na vida é dura.

SE VOCÊ NÃO TIVER UM FORTE MOTIVO, NÃO FAZ SENTIDO CONTINUAR A LEITURA. PARECERÁ TRABALHO DEMAIS.

2. *ESCOLHO TODOS OS DIAS.* O poder da escolha, esta é a principal razão pela qual as pessoas querem viver num país livre. Queremos o poder da escolha.

Financeiramente, com cada dólar que temos em nossas mãos, temos o poder de escolher nosso futuro de ricos, pobres ou classe média. Nossos hábitos de despesa refletem quem somos nós. As pessoas pobres têm simplesmente maus hábitos de despesa.

Uma vantagem que eu tive em criança foi a de que gostava de jogar Banco Imobiliário constantemente. Ninguém me disse que Banco Imobiliário era só para crianças, de modo que continuei jogando quando adulto. Também tinha pai rico que me mostrou a diferença entre um ativo e um passivo. Sendo assim, há muito tempo, quando ainda era garoto, escolhi ser rico e sabia que tudo o que eu tinha a fazer era adquirir ativos, ativos reais. Meu melhor amigo, Mike, tinha uma coluna de ativos que lhe fora dada, mas ele teve que optar por aprender a mantê-la. Muitas famílias ricas perdem os ativos na geração seguinte simplesmente porque não havia ninguém treinado para ser um bom guardião dos ativos.

Muitas pessoas optam por não ser ricas. Para 90% da população, ser rico é "confusão demais". Então inventam de dizer coisas como "Não estou interessado em dinheiro", "Nunca serei rico", "Não preciso me preocupar, ainda sou jovem", "Quando tiver algum dinheiro vou pensar sobre meu futuro" ou "Meu marido/mulher cuida das finanças". O problema dessas afirmações é que elas roubam das pessoas que pensam assim duas coisas: uma, tempo, que é nosso ativo mais precioso; e, dois, o aprendizado. Só porque você não tem dinheiro, isso não é desculpa para não aprender. Mas é uma escolha que fazemos a cada dia, a escolha do que fazer com nosso tempo, com nosso dinheiro e com o que pomos em nossa cabeça. É o poder da escolha. Todos nós temos escolha. Escolhi ser rico e faço essa opção a cada dia.

INVISTA PRIMEIRO NA INSTRUÇÃO. Na verdade, o único ativo real que você possui é sua mente, o instrumento mais importante que dominamos. Como disse, cada um de nós pode escolher o que põe em sua mente uma vez alcançada idade suficiente. Você pode ficar assistindo à MTV o dia inteiro, ou ler revistas de golfe, ou fazer um curso de cerâmica ou um curso de planejamento financeiro. Você escolhe. A maioria das pessoas simplesmente compra investimentos em lugar de aprender a investir.

Uma de minhas amigas, uma mulher rica, teve recentemente seu apartamento roubado. Os ladrões levaram o aparelho de televisão e o videocassete e deixaram todos os seus livros. Nós todos temos essa escolha. Novamente, 90% da população compra aparelhos de televisão e somente uns 10% compra livros de negócios ou fitas sobre investimento.

Então, o que é que eu faço? Vou a seminários. Gosto quando eles duram pelo menos dois dias porque gosto de me aprofundar num tema. Em 1973, estava assistindo à televisão e vi o anúncio de um seminário de três dias sobre como comprar imóveis sem precisar de dar entrada. Gastei US$385 e o curso me permitiu ganhar pelo menos US$2 milhões, talvez mais. Porém, mais importante, me comprou vida. Não preciso de trabalhar pelo resto da vida por causa daquele curso. Faço pelo menos dois desses seminários por ano.

Adoro fitas de áudio. A razão: posso voltar para trás rápido. Estava ouvindo uma fita de Peter Lynch e ele disse algo do qual discordei completamente. Em vez de me mostrar arrogante e crítico, simplesmente apertei o botão de "retrocesso" e ouvi aquele trecho da fita umas vinte vezes. Talvez até mais. De repente, mantendo minha mente aberta, entendi por que ele estava falando aquilo. Foi como uma mágica. Senti como se tivesse uma janela para a mente de um dos maiores investidores do nosso tempo. Ganhei uma tremenda profundidade e percepção dos vastos recursos de seu conhecimento e de sua experiência.

Resultado líquido: ainda tenho minha velha maneira de pensar e tenho a forma do Peter de ver o mesmo problema ou situação. Tenho dois pensamentos em vez de um. Mais de uma forma de analisar um problema ou tendência, e isso não tem preço. Hoje me pergunto muitas vezes: "Como Peter Lynch faria isso, ou Donald Trump, ou Warren Buffett ou George Soros?" A única maneira pela qual posso acessar seu vasto poder mental é sendo suficientemente humilde para ler ou ouvir o que eles têm a dizer. Pessoas arrogantes e críticas são muitas vezes pessoas com baixa auto-estima que têm medo de assumir riscos. Veja, se você aprende algo novo, terá que errar a fim de entender totalmente o que aprendeu.

Se você leu até aqui, a arrogância não é um de seus problemas. Pessoas arrogantes raramente lêem ou compram fitas. Por que elas o fariam? Elas são o centro do universo.

Há pessoas "inteligentes" que discutem ou se defendem quando uma idéia nova se choca com o que pensam. Neste caso, sua assim chamada "inteligência" combinada com a "arrogância" se torna "ignorância". Cada um de nós conhece alguém muito instruído, ou que se acredita esperto, mas cujo balanço mostra outra coisa. Uma pessoa verdadeiramente inteligente saúda as novas idéias, porque novas idéias podem aumentar a sinergia de outras idéias acumuladas. Ouvir é mais importante do que falar. Se isso não fosse verdade, Deus não teria nos dado dois ouvidos e apenas uma boca. Gente demais pensa com a boca, em vez de ouvir para assimilar novas idéias e possibilidades. Discute-se em lugar de se perguntar.

Penso em minha riqueza a longo prazo. Não sou partidário da mentalidade do "fique rico depressa" de muitos compradores de bilhetes de loteria ou freqüentadores de cassinos. Posso comprar e vender ações, mas sempre compro instrução. Se você quer pilotar um avião, aconselho a tomar aulas antes. Sempre fico chocado com gente que compra ações ou imóveis mas nunca investe em seu maior ativo: sua mente. O fato de ter comprado um ou dois imóveis não o torna um especialista em imóveis.

3. *ESCOLHA OS AMIGOS COM CUIDADO.* O poder da associação. Em primeiro lugar, não escolho meus amigos levando em conta suas demonstrações financeiras. Tenho amigos que fizeram, de fato, voto de pobreza, bem como amigos que ganham milhões todo ano. O importante é que aprendo com todos eles e faço um esforço consciente para isso.

Admito que há pessoas que procurei porque têm dinheiro. Mas eu não estava atrás de seu dinheiro, queria seu conhecimento. Em alguns casos, essas pessoas de vastas posses se tornaram amigos queridos, mas nem todos.

Há uma diferença que gostaria de destacar. Observei que meus amigos ricos falam de dinheiro. E não estou querendo dizer que se gabem. Eles se interessam pelo assunto. Já os amigos que sei estarem em dificuldades financeiras não gostam de falar de dinheiro, negócios ou investimentos. Muitas vezes pensam que isso não é educado ou que é antiintelectual. Ou seja, também aprendo com os amigos que têm dificuldades financeiras: descubro o que não fazer.

Tenho vários amigos que obtiveram mais de um bilhão de dólares durante suas breves vidas. Três deles observam o mesmo fenômeno: seus amigos que não têm dinheiro nunca lhes perguntaram como eles o conseguiram. Mas eles pedem duas coisas: dinheiro emprestado e/ou um emprego.

ADVERTÊNCIA: Não ouça as pessoas pobres ou apavoradas. Tenho amigos assim, e gosto muito deles, mas são "galinhas pessimistas" na vida. Quando se trata de dinheiro, especialmente investimentos, "O céu está sempre caindo". Eles sempre sabem por que as coisas não funcionam. O problema é que as pessoas as ouvem mas aquelas que aceitam cegamente essas informações pessimistas são também "galinhas pessimistas". E, como diz o velho ditado, "Galinhas da mesma plumagem concordam entre si".

Se você assiste à CNBC, uma mina de ouro de informações sobre investimentos, sabe que eles apresentam freqüentemente uma mesa-redonda dos chamados "especialistas". Um deles diz que o mercado está a ponto de desabar e outro afirma que está em ascensão. Se você for esperto ouvirá os dois. Mantenha sua mente aberta porque ambos têm razões válidas. Infelizmente, a maioria das pessoas ouve apenas as "galinhas pessimistas".

Alguns amigos próximos procuraram me fazer desistir de algum negócio ou investimento. Alguns anos atrás, um amigo me contou que estava empolgado porque descobrira um certificado de depósito que rendia 6% ao ano. Contei então que estava ganhando 16% com títulos do governo estadual. No dia seguinte ele me enviou um artigo que mostrava por que minha aplicação era perigosa. Há anos estou obtendo os 16% e ele continua com os 6%.

Diria que o mais difícil quanto à formação de uma fortuna é ser fiel a si mesmo e estar disposto a não acompanhar a multidão. No mercado é muito comum que seja a manada a chegar tarde e ser abatida. Se um grande negócio está nas manchetes, na maioria dos casos é tarde demais. Procure um negócio novo. Como dizem os surfistas: "Sempre há outra onda." As pessoas que correm e pegam a onda tarde são em geral as que se dão mal.

Investidores espertos não se afobam. Se perdem uma onda, esperam pela próxima e se preparam. Isto é difícil para a maioria dos investidores porque comprar o que não é popular lhes parece apavorante. Os investidores tímidos gostam de acompanhar a multidão. Sua ganância os leva para as aplicações somente quando os investidores sábios já auferiram seus lucros e se retiraram. Investidores sábios aplicam quando o negócio ainda não é popular. Eles sabem que seus ganhos são gerados quando compram e não quando vendem. Esperam pacientemente. Como já disse, eles não se afobam. Como um surfista, eles se preparam para a próxima onda.

Tudo é *insider trading.** Há formas de *insider trading* que são ilegais e outras que são legais. Mas de qualquer forma é *insider trading*. A única distinção é quanto você está distante do "por dentro"? A razão pela qual você quer ter amigos ricos que estão por dentro é porque o dinheiro é ganho aí. É informação fabricada. Você quer saber quando haverá a próxima subida, entrar e sair antes da queda seguinte. Não estou dizendo para fazer nada ilegal, mas quanto mais cedo você souber, maiores são as chances de lucro com risco mínimo. Para isso existem os amigos. E isso é inteligência financeira.

> 4. *DOMINE UMA FÓRMULA E ENTÃO APRENDA OUTRA.* O poder do aprendizado rápido. Para fazer o pão, todo padeiro segue uma receita, mesmo que esta só exista em sua cabeça. O mesmo se pode dizer quanto a ganhar dinheiro. Por isso, na gíria, o dinheiro é muitas vezes chamado de "massa".

Muitos de nós já ouvimos a expressão "Você é o que você come". Eu tenho uma variação "Você se torna o que você estuda". Em outras palavras, seja cuidadoso com o que você estuda e aprende, porque sua mente é tão poderosa que você se torna aquilo que você põe em sua cabeça. Por exemplo, se você estuda culinária, você tende a ser cozinheiro. Se você não quer continuar sendo cozinheiro, precisará estudar outra coisa. Digamos, um professor. Depois de estudar para o magistério, você muitas vezes se torna professor. E assim por diante. Escolha cuidadosamente o que você estuda.

Quando se trata de dinheiro, as massas têm uma fórmula básica aprendida na escola. E essa é: trabalhe pelo dinheiro. A fórmula que vejo predominar no mundo é que todos os dias milhões de pessoas acordam e vão trabalhar, ganham dinheiro, pagam contas, conferem seus talões de cheque, compram alguns fundos mútuos e voltam ao trabalho. Essa é a fórmula, ou receita, básica.

Se você está cansado do que está fazendo ou se não ganha o suficiente, é simplesmente o momento de mudar a fórmula com a qual você ganha dinheiro.

---

*Expressão de difícil tradução e geralmente usada, em inglês, pelo mercado. Refere-se a negócios entre pessoas "que estão por dentro" (administradores ou membros do conselho de sociedades anônimas de capital aberto que compram e/ou vendem ações da própria empresa) em geral com conhecimentos do que ocorre nas empresas mas não vem a público. (N. T.)

Quando eu tinha 26 anos, fiz um curso de fim de semana chamado "Como Comprar Imóveis Executados Judicialmente". Aprendi a fórmula. O passo seguinte foi ter a disciplina para pôr em ação o que eu tinha aprendido. É aí que a maioria das pessoas pára. Durante três anos, enquanto eu trabalhava na Xerox, passava minhas horas de folga aprendendo a arte de comprar imóveis executados. Ganhei vários milhões de dólares usando essa fórmula, mas hoje isso é muito lento e há muita gente que faz o mesmo.

Então, depois de ter dominado a fórmula, passei a procurar outras fórmulas. Em muitos dos casos não usei de forma direta a informação que obtive, mas sempre aprendi algo novo.

Já fiz cursos destinados a corretores especializados em derivativos, um curso de negociação de opções de *commodities* e um curso sobre a Ciência do Caos. Neste, estava fora de meu ambiente, em uma sala cheia de gente com doutorado em física nuclear e ciência espacial. Contudo, aprendi uma porção de coisas que tornaram meus investimentos em imóveis e ações mais significativos e lucrativos.

Muitas instituições comunitárias de ensino superior têm cursos de planejamento financeiro e aquisição de investimentos tradicionais. São lugares ótimos para se começar.

Sempre procuro a fórmula mais rápida. É por isso que, com bastante regularidade, faço mais em um dia do que muitas pessoas fazem em toda sua vida.

Outra observação secundária. No mundo em rápida mudança de nossos dias, a questão não é tanto o que você sabe, porque com freqüência o que você sabe já está ultrapassado. É a rapidez com que você aprende. Esta habilidade não tem preço. Não tem preço para encontrar fórmulas – receitas, se preferir – mais rápidas de fazer dinheiro. Trabalhar arduamente pelo dinheiro é uma fórmula velha nascida nos dias do homem das cavernas.

5. *PAGUE A SI MESMO PRIMEIRO.* O poder da autodisciplina. Se você não pode se controlar, não tente ficar rico. Talvez fosse bom entrar para a Marinha ou alguma ordem religiosa para aprender a se controlar. É a falta de autodisciplina que leva à falência muitos ganhadores de loteria pouco depois de eles terem ganhado milhões. É a falta de autodisciplina que leva pessoas que acabaram de obter um aumento a comprar um carro novo ou fazer um cruzeiro.

É difícil dizer qual dos dez passos é o mais importante. Mas de todos este é possivelmente o mais difícil de dominar, se já não for parte de sua personalidade. Eu arriscaria dizer que é a falta de autodisciplina que se constitui no fator número um a separar ricos, pobres e classe média.

Dito de forma simples, pessoas que têm baixa auto-estima e reduzida tolerância à pressão financeira não poderão nunca, e quero dizer isso mesmo, nunca, ser ricas. Como já disse, uma lição aprendida com pai rico foi que o "mundo vai bater em você". O mundo bate nas pessoas não porque as outras pessoas sejam ruins mas porque os indivíduos não têm controle interno e disciplina. Quem não tem força interior muitas vezes se torna vítima daqueles que têm autodisciplina.

Nos cursos para empreendedores onde leciono, lembro constantemente aos participantes que não devem focar seu produto, serviço ou atividade, mas o desenvolvimento de habilidades de gestão. As três habilidades de gestão mais importantes para se iniciar um negocio próprio são:

1. Gestão do fluxo de caixa.

2. Gestão de pessoal.

3. Gestão pessoal do tempo.

Diria que essas habilidades de gestão se aplicam a qualquer coisa, não apenas a empreendedores. As três têm importância para a forma como você vive sua vida como indivíduo, ou como parte de uma família, um negócio, uma organização de caridade, uma cidade ou uma nação.

Cada uma dessas habilidades é realçada pelo domínio da autodisciplina. Levo a sério o dito "pague-se a si próprio em primeiro lugar".

*The richest man in Babylon,** de George Classen, é onde encontrei a expressão "pague-se a si próprio em primeiro lugar". O livro vendeu milhões de exemplares, mas embora milhões de pessoas repitam livremente essa afirmação poderosa, poucas seguem o conselho. Como disse, a alfabetização financeira nos permite ler os números e estes contam a história. Vendo a demonstração de renda e o balanço de uma pessoa, posso ver facilmente se a pessoa que diz "pague-se a si próprio em primeiro lugar" está praticando o que prega.

Uma imagem vale mil palavras. Comparemos então as demonstrações financeiras de pessoas que pagam a si mesmas em primeiro lugar e as que não o fazem.

**O homem mais rico da Babilônia*. O livro ensina a investir por meio da história de um rei da Babilônia que manda o homem mais rico do reino ensinar aos pobres o que fazer. Segundo a história, isso levou o reino a um período de fartura. (N. T.)

Pessoas que se pagam em primeiro lugar

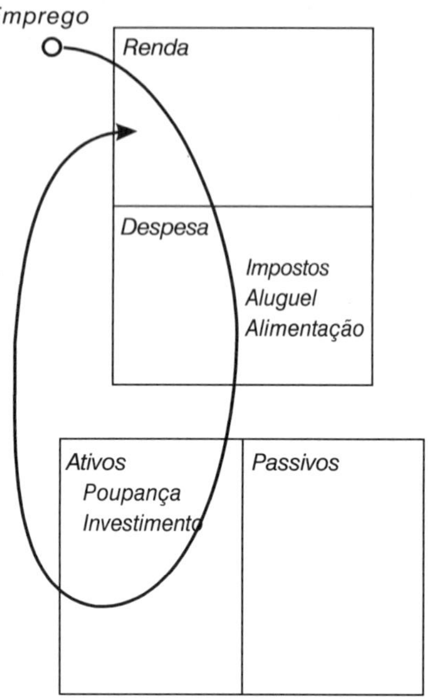

Estude os diagramas e observe se você pode notar algumas diferenças. Repito, tem a ver com o entendimento do fluxo de caixa, que conta a história. Se você pode realmente começar a compreender o poder do fluxo de caixa, perceberá rapidamente o que há de errado com o diagrama seguinte. Ou seja, por que 90% das pessoas trabalham arduamente durante toda a vida e precisam de apoio do governo, a Seguridade Social, quando não podem mais trabalhar.

Está vendo? O diagrama anterior reflete as ações de uma pessoa que opta por pagar a si mesmo em primeiro lugar. Todo mês ela destina dinheiro para sua coluna de ativos antes de pagar as despesas mensais. Embora milhões de pessoas tenham lido o livro de Classen e entendido a expressão "pague-se a si próprio em primeiro lugar", na verdade elas o fazem em último lugar.

Agora posso ouvir as reclamações daqueles que acreditam sinceramente em pagar as contas primeiro. E posso ouvir todas as pessoas "responsáveis" que pagam suas contas em dia. Não estou falando para ser irresponsável e deixar de pagar as contas. Digo apenas o que está no livro e isso é: "pague a si mesmo em primeiro lugar". O diagrama anterior é a imagem contábil correta dessa ação e não a que se segue.

Alguém que paga todos os demais primeiro – Freqüentemente não lhe sobra nada

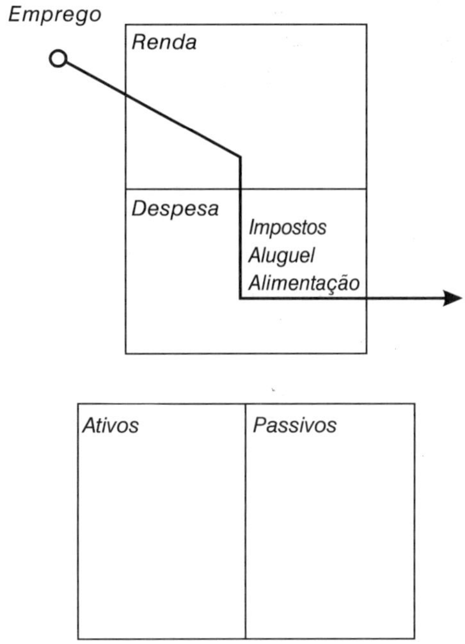

Minha mulher e eu temos tido muitos guarda-livros, contadores e gerentes de banco que têm problemas com esta forma de considerar o "pague a si mesmo em primeiro lugar". A razão é que estes profissionais fazem de fato o mesmo que as massas, que é se pagar em último lugar. Eles pagam a todos os demais primeiro.

Em certos meses, quando por qualquer razão o fluxo de caixa é bem menor do que minhas contas, eu pago a mim mesmo em primeiro lugar. Meu contador gritou em pânico: "Eles vão pegar o senhor. A receita vai colocar o senhor na cadeia. O senhor vai acabar com sua capacidade de tomar crédito. Vão cortar a eletricidade." Ainda assim, pago a mim mesmo em primeiro lugar.

"Por quê?", perguntará o leitor. Porque esse é todo o sentido da história de *The richest man in Babylon*. O poder da autodisciplina e o poder da força interior. "Garra" num linguajar mais popular. E como pai rico me ensinou no primeiro mês em que trabalhei para ele, a maioria das pessoas permite que o mundo bata nelas. O cobrador liga e diz "paga ou então". Aí você deixa de pagar a si próprio. Um vendedor diz "ponha no cartão". Seu corretor imobiliário diz para você ir em frente porque "o governo permite dedução no imposto de renda da hipoteca de sua casa". É disso tudo que o livro trata. Ter a garra para ir contra a maré e enriquecer. Você pode não ser fraco, mas quando se trata de dinheiro muitos balançam.

Não estou falando para ser irresponsável. Não dou muito valor aos cartões de crédito e às facilidades de empréstimo porque quero pagar a mim primeiro. A razão pela qual minimizo minha renda é porque não quero entregá-la ao governo. É por isso, como sabem os que assistiram a meu vídeo, *The secrets of the rich*, que minha renda se origina em minha coluna de ativos por meio de uma sociedade anônima em Nevada. Se eu trabalhar pelo dinheiro, o governo o pega.

Embora pague minhas contas por último, tenho suficiente astúcia financeira para não me colocar numa situação enrolada. Não gosto de dívidas de consumo. Na verdade tenho passivos que são mais altos do que os de 99% da população, mas não pago por eles, outros o fazem. Eles são chamados locatários. O principal, então, para se pagar a si próprio em primeiro lugar é começar por não se endividar. Apesar de pagar minhas contas por último, me organizo para ter apenas pequenas contas sem importância, que terei que pagar.

Quando eventualmente estou num aperto, ainda assim pago primeiro a mim mesmo. Deixo que os credores e até o governo gritem. Gosto quando eles ficam zangados. Por quê? Porque eles me fazem um favor. Eles me inspiram a sair e criar mais dinheiro. Continuo pagando a mim mesmo primeiro, invisto o dinheiro e deixo os credores gritarem. Em geral acabo, de qualquer forma, pagando logo. Minha mulher e eu temos excelente crédito. Só que não cedemos à pressão e não gastamos nossa poupança ou liquidamos ações para pagar dívidas de consumo. Isso não é muito inteligente do ponto de vista financeiro.

Portanto, a resposta é:

1. Não se endivide demais. Mantenha suas despesas reduzidas. Forme seus ativos primeiro. Então compre uma casa maior ou um carro grande. Ficar preso na Corrida dos Ratos não é inteligente.

2. Quando apertado de dinheiro, não se afobe e não gaste suas poupanças ou investimentos. Use a pressão para inspirar seu gênio financeiro a descobrir novas formas de ganhar mais dinheiro e então pague as contas. Você terá aumentado sua habilidade de ganhar mais dinheiro bem como sua inteligência financeira.

Assim, muitas vezes tive problemas financeiros e usei meu cérebro para criar mais renda, enquanto defendia firmemente meus ativos. Meu contador gritava e procurava cobertura, mas eu parecia um bom soldado de cavalaria defendendo o forte, o Forte Ativos.

Pessoas pobres têm hábitos pobres. Um mau hábito comum é chamado inocentemente de "meter a mão na poupança". Os ricos sabem que as poupanças só são usadas para criar mais dinheiro, não para pagar contas. Sei que isso parece cruel mas, como já disse, se não for internamente resistente, o mundo vai sempre bater em você.

Se é do tipo que não gosta de pressão financeira, então descubra uma fórmula que funcione para você. Uma boa fórmula é cortar despesas, pôr o dinheiro no banco e pagar mais do que o necessário em imposto de renda, aplicar em fundos mútuos seguros e esperar sempre resultados médios. Mas isto viola a regra do "pague a si mesmo em primeiro lugar".

Este princípio não estimula o auto-sacrifício ou a abstinência financeira. Não significa pagar a você mesmo primeiro e passar fome. A vida foi feita para ser desfrutada. Se você conjura seu gênio financeiro, pode ter todas as coisas boas da vida, enriquecer e pagar contas, sem se sacrificar. E isso é inteligência financeira.

6. *PAGUE BEM A SEUS CORRETORES.* O poder do bom conselho. Muitas vezes vejo pessoas colocando um cartaz na frente de casa: "Proprietário vende." Ou vejo na televisão muita gente se anunciando como "Corretor de Desconto".*

Pai rico me ensinou a fazer exatamente o contrário. Ele acreditava que os profissionais deviam ser bem pagos e eu adotei a mesma política. Hoje, tenho a meu serviço advogados, contadores, corretores de imóveis e de ações caros. Por quê? Porque se, e destaco o se, as pessoas são profissionais, seus serviços devem render dinheiro para você. E quanto mais dinheiro ganharem, mais eu ganho.

Vivemos na Era da Informação. A informação não tem preço. Um bom corretor deve lhe oferecer informação e dedicar tempo a instruir você. Tenho vários corretores dispostos a fazer isso por mim. Alguns me ensinaram quando eu tinha pouco ou nenhum dinheiro e até hoje trabalho com eles.

O que pago a um corretor é pouco em comparação com o dinheiro que posso ganhar em conseqüência das informações que eles me trazem. Adoro quando meu corretor de imóveis ou o de ações ganham muito dinheiro. Em geral isso significa que ganhei muito dinheiro também.

Um bom corretor, além de ganhar dinheiro para mim, me poupa tempo – como quando comprei um lote vazio por US$9 mil e o vendi logo a seguir por US$25 mil, de modo que pude comprar mais depressa meu Porsche.

---

* Corretores que cobram comissões inferiores e prestam também menos serviços do que os corretores tradicionais. É muito comum atuarem por meio de home pages na Internet. (N. T.)

Um corretor é seus olhos e ouvidos no mercado. Eles estão lá todos os dias enquanto eu não preciso estar. Prefiro jogar golfe.

Também as pessoas que vendem suas casas por conta própria não dão muito valor ao seu tempo. Por que eu iria querer deixar de gastar alguns dólares quando posso empregar esse tempo para ganhar mais dinheiro ou para estar com aqueles que amo? O que acho engraçado é como tantas pessoas pobres e da classe média insistem em dar gorjetas de 15% a 20% nos restaurantes por um mau serviço e reclamam de pagar a um corretor algo entre 3% e 7%. Elas gostam de dar gorjeta a pessoas que figuram na coluna da despesa e maltratam as que estão na coluna dos ativos. Isso não é inteligente do ponto de vista financeiro.

Nem todos os corretores são iguais. Infelizmente, em sua maioria, são apenas vendedores. E diria que os vendedores de imóveis são os piores. Eles vendem, mas têm poucos ou nenhum imóvel próprio. Há grande diferença entre um corretor que vende casas e um corretor que vende investimentos. E o mesmo se aplica a corretores de ações, títulos, fundos mútuos e seguros que se autodenominam de consultores financeiros. Como no conto de fadas, você tem que beijar um monte de sapos para achar um príncipe. Lembre o velho adágio: "Nunca chame um vendedor de enciclopédias se você precisa de uma enciclopédia."

Quando entrevisto algum profissional pago, procuro primeiro descobrir quantos imóveis ou ações possuem pessoalmente e qual a alíquota de imposto que pagam. E isso se aplica a meus advogados tributaristas bem como a meu contador. Uma de minhas contadoras tem seu próprio negócio. Sua profissão é a contabilidade, mas seu negócio são os imóveis. Eu tinha um contador que tinha uma pequena empresa de contabilidade, mas não tinha qualquer imóvel. Mudei porque nós não gostávamos do mesmo negócio.

Descubra um corretor que leve a sério seus interesses. Muitos corretores dedicarão seu tempo a instruí-lo e eles podem ser o melhor ativo que você pode encontrar. Seja apenas justo e a maioria deles será justa com você. Se você só se preocupar em cortar suas comissões, então por que eles quererão estar com você? É uma lógica simples.

Como disse anteriormente, uma das habilidades gerenciais é a administração de pessoas. Muitas pessoas só conseguem gerenciar pessoas que consideram inferiores a si próprias e sobre quem podem ter um poder, como subordinados em uma relação de trabalho. Muitos gerentes médios continuam nessa posição e não são promovidos porque sabem como trabalhar com pessoas que estão abaixo deles mas não com pessoas que estão acima. A verdadeira habilidade é administrar e pagar bem pessoas que são mais inteligentes do que você em alguma área técnica. É por isso que as grandes empresas têm conselhos administrativos. Você também precisa de um. E isso é inteligência financeira.

7. *SEJA UM "DOADOR ÍNDIO"*. Este é o poder de obter alguma coisa a troco de nada. Quando os primeiros colonizadores brancos chegaram aos EUA, eles ficaram espantados com prática cultural de alguns índios americanos. Por exemplo, se um colono estava com frio, o índio lhe dava um cobertor. Achando que fosse um presente, o colono freqüentemente ficava ofendido quando o índio o pedia de volta.

Os índios também ficavam perturbados quando constatavam que os colonos não queriam devolver o cobertor. É daí que se origina a expressão "doador índio". Um simples desentendimento cultural.

No mundo da "coluna de ativos" é vital para a riqueza ser um doador índio. A primeira pergunta do investidor sofisticado é: "Com que rapidez posso ter meu dinheiro de volta?" Ele também quer saber o que poderá obter de graça, ou o que se chama uma participação nos lucros. É por isso que o retorno sobre o investimento é tão importante.

Por exemplo, descobri um pequeno imóvel, a alguns quarteirões de onde moro, que estava sendo executado judicialmente. O banco estava pedindo US$60 mil e eu apresentei uma oferta de US$50 mil, que foi aceita, simplesmente porque estava acompanhada de um cheque à vista no valor de US$50 mil. Verificaram que eu era sério. Muitos investidores perguntarão se eu não estava imobilizando muito dinheiro de uma vez. Não seria melhor hipotecá-lo? A resposta neste caso é não. Minha empresa de investimentos o aluga por temporada nos meses de inverno e obtém US$2.500 ao mês durante quatro meses, quando os "pássaros-da-neve" procuram o Arizona. Fora da temporada de férias, seu aluguel é de apenas US$1 mil mensais. Em cerca de três anos consegui meu dinheiro de volta. Agora sou proprietário desse ativo, que gera dinheiro para mim todos os meses.

O mesmo se aplica às ações. Freqüentemente, meu corretor liga e sugere que eu aplique uma considerável quantia em ações de alguma empresa que, segundo ele, está a ponto de fazer alguma coisa que aumentará o valor delas, como lançar um produto novo. Então, durante uma semana ou um mês, aplico meu dinheiro nessas ações, enquanto seus preços sobem. Depois, tiro aquela soma inicial e paro de me preocupar com as flutuações do mercado, porque tenho de volta meu dinheiro inicial e agora sou dono de um ativo que, tecnicamente, me saiu de graça.

Sem dúvida, em muitas ocasiões perdi dinheiro. Mas somente jogo com dinheiro que posso perder. Diria que na média de dez investimentos faço uns dois ou três gols de placa, cinco ou seis não são lá essas coisas e perco em dois ou três. Mas limito minhas perdas ao dinheiro que apliquei neles naquele momento.

As pessoas que odeiam o risco põem seu dinheiro no banco. E, no longo prazo, qualquer poupança é melhor do que nenhuma poupança. Mas leva muito tempo para você recuperar seu dinheiro e, em muitos casos, você não leva nada de graça. Eles costumavam dar torradeiras,* mas atualmente isso está ficando mais raro.

Em todos os meus investimentos precisa haver algo mais, algo de graça. Um imóvel, um lote de terreno, uma casa, ações, escritórios. E o risco deve ser limitado ou deve ser uma idéia de baixo risco. Há livros inteiros que tratam deste assunto de modo que não me estenderei aqui. Ray Kroc, da McDonald's, vendia franquias de hambúrgueres não porque gostasse do sanduíche, mas porque queria os terrenos das franquias de graça.

Investidores sábios devem dar mais atenção ao retorno sobre o investimento: são os ativos que você obtém de graça depois que você recebe seu dinheiro de volta. Isso é inteligência financeira.

8. *ATIVOS COMPRAM SUPÉRFLUOS.* O poder do foco. O filho de um amigo estava desenvolvendo um hábito desagradável de gastar demais. Aos dezesseis anos naturalmente desejava ter seu carro. A desculpa: os pais de todos os seus amigos tinham comprado um carro para o filho. O garoto queria pegar suas poupanças e dar a entrada para o carro. Foi aí que o pai me procurou.

– Você acha que devo fazer o que ele quer ou deveria fazer como os outros pais e dar um carro para ele?

Minha resposta:

– A curto prazo pode ser bom, mas o que você lhe terá ensinado a longo prazo? Você não pode usar seu desejo de ter um carro e incentivar seu filho a aprender alguma coisa?

De repente se acendeu uma luz e ele foi correndo para casa. Dois meses depois voltei a encontrar meu amigo.

– Seu filho já está com o carro? – perguntei.

– Não. Mas lhe dei US$3 mil para comprar o carro. Falei para ele usar meu dinheiro em lugar do seu dinheiro, reservado para a universidade.

– Você foi bastante generoso – respondi.

---

*Referência a uma prática adotada por alguns bancos americanos de distribuir eletrodomésticos a quem abrisse contas novas. (N. T.)

– Nem tanto. O dinheiro veio acompanhado de uma condição. Segui sua orientação para usar seu desejo por um carro como incentivo para que aprendesse alguma coisa.

– E qual foi a condição? – perguntei.

– Bom, primeiro voltamos a jogar seu *CASHFLOW*. Jogamos e tivemos uma longa discussão sobre o uso sábio do dinheiro. Fiz para ele uma assinatura do *Wall Street Journal* e comprei alguns livros sobre mercado de ações.

– E daí? – indaguei. – O que fez?

– Falei que os US$3 mil eram dele, mas que ele não poderia comprar o carro direto. Ele deveria usar o dinheiro para comprar e vender ações, achar seu próprio corretor, e quando tivesse ganho US$6 mil, metade ele poderia usar para comprar o carro e o resto devia colocar na poupança para pagar a faculdade.

– E o resultado? – continuei.

– Bem, teve sorte nos primeiros negócios, mas daí a pouco perdeu tudo. Então começou a ficar interessado de verdade. Hoje, ainda lhe faltam uns US$2 mil e está mais interessado ainda. Leu todos os livros que dei e pegou outros na biblioteca. Lê avidamente o *Wall Street Journal*, acompanhando os indicadores, e assiste à CNBC em vez da MTV e está aprendendo muito. Ele sabe que se perder dinheiro vai ter que andar a pé mais uns dois anos. Mas não está muito preocupado. Já nem liga tanto para o carro porque encontrou algo mais divertido para fazer.

– E se ele perder todo o dinheiro? – perguntei.

– Aí vamos ver. Prefiro que ele perca tudo agora do que ter que esperar chegar à nossa idade para se arriscar a perder tudo. E, além do mais, esses são os melhores US$3 mil que gastei com sua educação. O que está aprendendo vai lhe servir toda a vida e ele parece ter adquirido mais respeito pelo poder do dinheiro. Acho que parou de torrá-lo.

Como já falei na seção "Pague a si mesmo em primeiro lugar" se uma pessoa não domina o poder da autodisciplina, é melhor nem tentar ficar rico. Embora o processo de gerar fluxo de caixa a partir da coluna de ativos seja fácil, é a fortaleza mental de direcionar o dinheiro que é difícil. Devido às tentações externas é mais cômodo neste mundo de consumismo torrar o dinheiro na coluna das despesas. A falta de fortaleza mental leva a permitir que o dinheiro flua pelos caminhos de menor resistência.

Darei um exemplo numérico de inteligência financeira, especificamente a capacidade de usar dinheiro para ganhar mais dinheiro.

Se eu der a 100 pessoas US$10 mil no início do ano, acho que ao fim do ano:

- 80 não terão mais nada. De fato, elas terão aumentado seu endividamento usando o dinheiro para dar entrada na compra de carro novo, geladeira, televisor, gravador de vídeo ou em viagem de férias.

- 16 terão aumentado esses US$10 mil em torno de 5% e 10%.
- 4 terão aumentado a soma para US$20 mil ou para alguns milhões.

Estudamos para aprender uma profissão de modo a poder trabalhar pelo dinheiro. Na minha opinião é também importante aprender a fazer o dinheiro trabalhar para nós.

Gosto de meus supérfluos tanto quanto qualquer outro ser humano. A diferença é que algumas pessoas compram seus supérfluos em prestações. É a armadilha de querer imitar o vizinho. Quando eu quis comprar um Porsche, o caminho mais fácil era procurar o gerente do banco e conseguir um financiamento. Em lugar de me preocupar com a coluna do passivo, decidi me concentrar na coluna dos ativos.

Como de hábito, empreguei meu desejo de consumir para me inspirar e motivar meu gênio financeiro a investir.

Constantemente nos preocupamos em obter as coisas que desejamos em vez de nos concentrarmos em criar dinheiro. É mais fácil no curto prazo, porém mais duro no longo prazo. É um mau hábito em que incorremos como indivíduos e como nação. Lembre, o caminho mais fácil muitas vezes se transforma no mais áspero e o caminho árduo muitas vezes se torna suave.

Quanto mais cedo você se disciplinar e àqueles que ama para dominar o dinheiro, tanto melhor. O dinheiro é uma força poderosa. Infelizmente, as pessoas usam esse poder contra elas mesmas. Se sua inteligência financeira for pouca, o dinheiro escorrerá de suas mãos, será mais esperto que você. Se o dinheiro for mais esperto, você trabalhará toda sua vida.

Para ser o senhor do dinheiro, você precisa ser mais esperto do que ele. Então o dinheiro fará o que você mandar. Ele lhe obedecerá. Em vez de ser escravo, você será o senhor. Isso é inteligência financeira.

9. *A NECESSIDADE DE HERÓIS.* O poder do mito. Quando eu era garoto, admirava profundamente Willie Mays, Hank Aaron, Yogi Berra. Eles eram meus heróis. Quando garoto, jogando no beisebol infantil, queria ser como eles. Seus cartões de beisebol eram meu tesouro. Queria saber tudo a respeito deles. Conhecia suas estatísticas, suas jogadas, quanto ganhavam e como tinham ascendido aos times profissionais. Queria saber tudo porque queria ser como eles.

Quando, aos nove, dez anos de idade, pulava para arremessar ou apanhar a bola, não era eu: era Yogi ou Hank. É uma das formas mais poderosas de aprender que freqüentemente esquecemos ao chegar à idade adulta. Perdemos nossos heróis. Perdemos nossa ingenuidade.

Hoje, observo os garotos jogando beisebol perto de casa. Na quadra não é o Joãozinho, é Michael Jordan, Sir Charles ou Clyde. Copiar ou emular heróis é um aprendizado poderoso. E é por isso que quando alguém como O. J. Simpson cai em desgraça, há um clamor tão grande.

É mais do que um simples julgamento. É a perda de um herói. Alguém com quem se cresceu que se observou e se quis imitar. De repente precisamos nos livrar dessa pessoa.

Quando cresci encontrei novos heróis. Tenho heróis como Peter Jacobsen, Fred Couples e Tiger Woods. Imito suas jogadas no golfe e faço o possível para ler tudo a respeito deles. Também tenho heróis como Donald Trump, Warren Buffett, Peter Lynch, George Soros e Jim Rogers. Em minha maturidade acompanho suas estatísticas como o fazia com meus heróis do beisebol. Acompanho os investimentos de Warren Buffett e leio tudo sobre suas opiniões a respeito do mercado. Leio o livro de Peter Lynch para entender como ele escolhe suas ações. E leio sobre Donald Trump tentando descobrir como negocia e monta operações.

Da mesma maneira que não era eu no campo de beisebol, quando estou no mercado ou fechando um negócio, estou agindo subconscientemente com a ousadia de Trump. Ou ao analisar uma tendência, procuro pensar em como Peter Lynch o faria. Tendo heróis, me aproprio de uma fonte imensa de gênio em estado puro.

Mas heróis fazem mais do que simplesmente inspirá-lo. Heróis fazem com que as situações pareçam fáceis. Ao fazer parecerem fáceis nos convencem a querer ser como eles. "Se eles conseguiram, eu também posso."

Quando se trata de investimentos, há gente demais para complicar. Procure heróis que façam as situações parecerem fáceis.

10. *ENSINA E RECEBERÁS.* O poder da doação. Ambos os meus pais eram mestres. Pai rico me ensinou uma lição que me acompanha toda a vida, e essa foi a necessidade de ser caridoso ou de doar. Meu pai instruído doava muito na forma de tempo ou conhecimento, mas quase nunca doava dinheiro. Como já mencionei, ele costumava dizer que doaria quando tivesse algum dinheiro sobrando. Só que raramente sobrava algum dinheiro.

Pai rico doava tanto dinheiro quanto ensinamentos. Ele acreditava firmemente na troca. "Se você deseja algo, primeiro você precisa dar", dizia sempre. Quando tinha pouco dinheiro, ele simplesmente doava dinheiro à igreja ou a alguma instituição de caridade.

Se eu tivesse de passar apenas uma única idéia para o leitor, seria esta. Sempre que você sentir "falta" ou "escassez" de alguma coisa, doe, antes, o que você quer e isso retornará para você aos montes. Isso é verdadeiro para dinheiro, sorrisos, amor, amizade. Sei que muitas vezes isso é a última coisa que se deseja fazer, mas, para mim, sempre funcionou. Apenas confio em que o princípio da reciprocidade funciona e dôo o que desejo. Se quero dinheiro, dou dinheiro e ele volta multiplicado. Se desejo vendas, ajudo alguém a vender e as vendas aparecem para mim. Se desejo contatos, ajudo alguém a obter contatos e, como num passe de mágica, os contatos vêm para mim. Há muitos anos ouvi algo assim: "Deus não precisa receber, mas os homens precisam doar."

Pai rico dizia com freqüência: "Os pobres são mais gananciosos do que os ricos." Ele então explicava que se uma pessoa era rica, essa pessoa oferecia algo que os outros desejavam. Ao longo de minha vida, em todos estes anos, sempre que senti necessidade de dinheiro ou de auxílio, procurava no fundo de meu coração o que eu queria e decidia doá-lo antes. Ao fazê-lo, o que eu doava sempre retornava para mim.

Isso me lembra a história do cara sentado com lenha nos braços numa noite gelada. E ele gritava para a lareira à sua frente: "Quando você me esquentar um pouco, eu ponho um pouco de lenha dentro de você." Quando se trata de dinheiro, amor, felicidade, vendas e contatos, tudo o que a gente precisa lembrar é doar primeiramente o que se deseja e isso retornará aos montes para nós. Muitas vezes apenas o processo de refletir sobre o que você deseja e como você o poderia doar para alguém desencadeia uma torrente de generosidade. Sempre que sinto que as pessoas não estão sorrindo para mim, simplesmente começo a sorrir e a cumprimentar e, como por milagre, de repente há mais gente sorrindo à minha volta. É verdade que seu mundo é apenas um espelho de você.

Por isso, digo: "Ensina e receberás." Descobri que quanto mais sinceramente ensino aos que estão desejosos de aprender, tanto mais aprendo. Se você quer aprender sobre dinheiro, ensine a alguém. Uma torrente de novas idéias e distinções mais sutis surgirá.

Houve momentos em que doei e nada retornou ou em que o que recebi não era o que eu desejava. Mas depois de refletir e examinar minha alma, concluí que em vez de doar por doar, eu estava doando para receber.

Meu pai ensinava professores e se tornou mestre dos mestres. Pai rico sempre ensinava aos jovens seu jeito de fazer negócios. Em retrospecto, foi a generosidade deles com o que eles sabiam que os fez melhores. Há neste mundo poderes muito mais fortes do que nós. Você pode chegar lá por si mesmo, mas chegará mais rápido com auxílio dos poderes superiores. Tudo de que precisa é ser generoso com o que você tem e os poderes superiores serão generosos com você.

CAPÍTULO DEZ

Ainda quer mais?

Muitos podem não achar suficientes meus dez passos. Eles os vêem mais como filosofias do que como ações. Penso que entender a filosofia é tão importante quanto a ação. Há muita gente que quer fazer, em lugar de pensar, e há gente que pensa mas não faz. Eu diria que sou ambos. Adoro idéias e adoro agir.

Para aqueles que querem "coisas a fazer" para começar, irei compartilhar, resumidamente um pouco do que faço.

- Pare de fazer o que está fazendo. Em outras palavras, pare e avalie o que está funcionando e o que não está funcionando. A definição de insanidade é fazer a mesma coisa e esperar resultado diferente. Pare de fazer o que não funciona e procure algo novo para fazer.

  Procure novas idéias. Para novas idéias de investimento, vou às livrarias e procuro livros sobre assuntos diferentes e originais. Chamo-os de fórmulas. São livros que ensinam como aplicar de uma forma que não conheço. Por exemplo, em uma livraria encontrei o livro *The 16% percent solution*, de Joel Moskowitz. Comprei e li.

Ação! Na quinta-feira seguinte fiz exatamente o que o livro dizia. Passo a passo. Também fiz isso ao procurar pechinchas em imóveis nos escritórios de advogados e bancos. Muitas pessoas não agem, ou se deixam convencer por qualquer pessoa a desistir da fórmula que estão estudando. Meu vizinho me disse por que os 16% não funcionariam. Não dei ouvidos, porque ele nunca tinha experimentado isso.

- Descubra alguém que já tenha feito o que você quer fazer. Convide-o para almoçar. Peça dicas, macetes do negócio. No caso dos certificados de gravames de impostos de 16%, fui à repartição de impostos municipais e procurei a funcionária que trabalhava na respectiva seção. Descobri que ela também aplicava em gravames de imposto. Imediatamente a convidei para o almoço. Ela ficou encantada de me contar tudo o que sabia e como fazer. Depois do almoço ela passou a tarde me mostrando tudo. No dia seguinte, com seu auxílio encontrei dois ótimos imóveis e desde então estou recebendo os juros de 16%. Levei um dia para ler o livro, um dia para agir, uma hora para almoçar e um dia para fechar dois bons negócios.
- Faça cursos e compre fitas. Procuro nos jornais cursos novos e interessantes. Muitos são de graça ou baratos. Também pago seminários caros sobre o que quero aprender. Sou rico e não preciso de um emprego devido ao que aprendi. Tenho amigos que não fizeram esses cursos e me dizem que estou perdendo dinheiro enquanto continuam no mesmo emprego.
- Faça muitas ofertas. Quando quero um imóvel, procuro muito e em geral faço uma oferta por escrito. Se você não sabe exatamente "quanto oferecer", eu também não. Isso é tarefa do corretor imobiliário. Eles fazem as ofertas. Eu procuro trabalhar o mínimo.

Uma amiga queria que eu lhe mostrasse como comprar apartamentos. Num sábado, ela, seu corretor e eu visitamos seis edifícios. Quatro eram uma droga, mas dois eram interessantes. Aconselhei que ela enviasse por escrito uma oferta para cada um deles, mas oferecendo metade do que os proprietários pediam. Ela e o corretor quase sofreram um enfarte. Eles pensaram que não seria educado, que os proprietários poderiam sentir-se ofendidos. Acho mesmo que o corretor não queria tanto trabalho assim, de modo que não fizeram nada e continuaram procurando um negócio melhor.

Não se fizeram ofertas e a pessoa ainda está procurando o negócio "certo" pelo preço certo. Bom, você não saberá qual é o preço certo até que você encontre a outra parte que deseja fechar o negócio. É raro que um vendedor peça um preço inferior ao valor do objeto de venda.

Moral da história: faça ofertas. As pessoas que não são investidores não têm idéia do que é tentar vender alguma coisa. Tive um imóvel que procurei vender durante meses. Teria ficado contente com qualquer proposta. Não estava preocupado com o quanto baixo fosse o preço. Eles poderiam ter-me oferecido dez porcos e eu teria ficado feliz. Não pela oferta, mas porque alguém estava interessado. Eu teria feito uma contraproposta, talvez aceitasse uma criação de porcos. Mas é assim que o jogo funciona. O jogo de compra e venda é divertido. Não se esqueça disso. É divertido e é só um jogo. Faça ofertas. Alguém pode dizer "sim".

Eu sempre faço ofertas com ressalvas. Em imóveis, faço ofertas com a ressalva de que está "sujeita a aprovação do sócio no negócio". Nunca especifico quem é o sócio no negócio. A maioria das pessoas não sabe que o sócio é meu gato. Se eles aceitam a oferta e eu não estou disposto a fechar o negócio, ligo para casa e falo com o gato. Faço esta declaração absurda para ilustrar como o jogo é incrivelmente fácil e simples. Gente demais o dificulta e o leva demasiado a sério.

Descobrir um bom negócio, o negócio certo, os investidores certos ou o que quer que seja é como namorar. Você precisa ir ao mercado e falar com um monte de gente, fazer um monte de ofertas, contrapropostas, negociar, rejeitar e aceitar. Conheço solteiros que ficam em casa e esperam que o telefone toque, mas a menos que você seja Cindy Crawford ou Tom Cruise, penso que é melhor ir ao mercado, mesmo que seja apenas o supermercado. Procurar, oferecer, rejeitar, negociar e aceitar são partes do processo de quase tudo na vida.

- Corra, ande ou dirija por certa área, uma vez por mês, durante dez minutos. Descobri alguns de meus melhores negócios imobiliários enquanto corria em certa área ao longo de um ano. O que procuro é mudança. Para que um negócio seja lucrativo são necessários dois elementos: pechincha e mudança. Há montes de pechinchas, mas é a mudança que transforma a pechincha em oportunidade lucrativa. Assim, corro numa área na qual gostaria de investir. É a repetição que me permite observar pequenas diferenças. Observo avisos de venda de imóveis que estão lá há muito tempo. Isso significa que o vendedor estará mais disposto a negociar. Observo caminhões de mudança indo e vindo. Paro e converso com os motoristas. Falo com os entregadores de encomendas postais. É impressionante quanta informação têm sobre uma área.

Descubro uma área ruim, especialmente uma área da qual todo o mundo foi afastado pelo noticiário. Às vezes a percorro por um ano à espera de sinais de que algo está mudando para melhor. Falo com os varejistas, especialmente os novos, e descubro por que estão se mudando. Isso leva de alguns minutos a um ano e o faço enquanto estou ocupado com outra coisa como correr ou ir a uma loja.

- No caso de ações, gosto do livro de Peter Lynch, *Beating the street*, por sua fórmula de selecionar ações que estão aumentando de valor. Descobri que os princípios de achar valor são os mesmos quer se trate de imóveis, estoques, fundos mútuos, novas empresas, um novo animal de estimação, uma nova residência, um novo cônjuge ou um detergente em oferta.

O processo é sempre o mesmo, você precisa saber o que está procurando e então correr atrás.

- Por que os consumidores serão sempre pobres? Quando um supermercado faz uma promoção de, digamos, papel higiênico, o consumidor corre e faz estoque. Quando o mercado de ações faz promoção, muitas vezes chamada de *crash* ou correção, o consumidor foge. Quando o supermercado aumenta os preços, o consumidor compra em outro lugar. Quando o preço das ações sobe, o consumidor começa a comprá-las.
- Procure nos lugares certos. Um vizinho comprou um apartamento por US$100 mil, comprei o apartamento contíguo ao seu por US$50 mil. Ele me disse que estava esperando que os preços subissem. Eu lhe mostrei que o lucro ocorre quando se compra não quando se vende. Ele comprou um imóvel de uma corretora que não possuía imóveis próprios. Eu comprei o meu no departamento de execuções judiciais de um banco. Paguei US$500 por um curso que me ensinou a fazer isso. Meu vizinho acreditava que pagar essa quantia por um curso sobre investimento em imóveis era muito caro. Ele disse que não tinha dinheiro para isso, nem tempo, de modo que está esperando o preço aumentar.
- Primeiro, procuro alguém que queira comprar, então busco o vendedor. Um amigo estava querendo um terreno. Tinha o dinheiro mas não tinha tempo. Descobri um terreno maior do que o desejado por meu amigo, reservei e liguei para ele que decidiu ficar com uma parte do terreno. Então vendi para ele e comprei o terreno. Assim o restante do terreno me saiu de graça. Moral da história: compre o bolo e corte em fatias. A maior parte das pessoas busca o que está dentro de seu orçamento, tem uma visão limitada. Compram apenas uma fatia do bolo e acabam pagando mais por pouco. Pessoas que pensam pequeno não conseguem grandes oportunidades. Se você quer enriquecer, comece pensando grande.

Os varejistas gostam de dar descontos para grandes quantidades, simplesmente porque a maioria dos homens de negócios adora gente que gasta muito. Assim, mesmo se você for pequeno, sempre é possível pensar grande. Quando minha empresa precisou comprar computadores, liguei para vários amigos perguntando se eles também estariam dispostos a comprar. Então fomos a diversos vendedores e acabamos fechando um bom negócio porque estávamos comprando várias unidades. Já fiz o mesmo com ações. Pessoas pequenas permanecem pequenas porque pensam pequeno, agem sozinhas ou não fazem nada.

- Aprenda com a história. Todas as grandes empresas listadas na bolsa começaram como pequenas empresas. O coronel Sanders não ficou rico até ter perdido tudo aos sessenta anos. Bill Gates era um dos homens mais ricos do mundo antes dos trinta anos.
- Agir é sempre melhor que ficar parado.

Estas são apenas algumas das coisas que fiz e continuo fazendo para reconhecer as oportunidades. As palavras importantes são “fiz” e “faço”. Conforme repeti inúmeras vezes ao longo do livro, você precisa agir antes de poder receber recompensas financeiras. Aja agora!

CONCLUSÃO

Como pagar a faculdade dos filhos com apenas US$7.000

Enquanto o livro chega a seu fim e se aproxima da publicação, gostaria de dividir um último pensamento com o leitor.

A principal razão que me fez escrever este livro foi a de partilhar percepções quanto à maneira como uma maior inteligência financeira pode ser empregada para resolver muitos dos problemas comuns da vida. Sem treinamento financeiro, freqüentemente recorremos a fórmulas padronizadas para levar a vida, como trabalhar com afinco, poupar, fazer empréstimos e pagar impostos demais. Hoje precisamos de melhor informação.

Recorrerei à seguinte história como um exemplo final de um problema financeiro com que se deparam tantas famílias em nossos dias. Como você pode proporcionar boa formação para seus filhos e preparar-se para sua própria aposentadoria? É um exemplo do uso da inteligência financeira em vez de trabalho árduo para atingir o mesmo objetivo.

Um amigo meu estava reclamando de como era difícil poupar para garantir o pagamento da faculdade de seus filhos. Ele estava aplicando todo mês US$300 em um fundo mútuo e já tinha acumulado US$12 mil. Ele calculava que precisaria de US$400 mil para financiar a faculdade dos quatro filhos. Ele tinha doze anos para conseguir isso, pois o mais velho dos filhos estava então com seis anos.

O ano era 1991 e o mercado de imóveis de Phoenix estava péssimo. As pessoas estavam se desfazendo de suas casas. Sugeri a meu colega que comprasse uma casa com parte do dinheiro acumulado em seu fundo mútuo. A idéia o deixou intrigado e começamos a discutir a possibilidade. Sua grande preocupação era que não tinha crédito no banco para comprar outra casa, já que estava muito endividado. Eu lhe assegurei que havia outras formas de financiar imóveis sem recorrer ao banco.

Durante duas semanas procuramos uma casa que se encaixasse nos critérios que estabelecêramos. Havia muitas a escolher, de modo que foi bastante divertido. Finalmente encontramos uma casa de três quartos e dois banheiros em um bom bairro. O proprietário tinha sido demitido da empresa e precisava vender naquele dia pois ele e a família estavam de mudança para a Califórnia onde outro emprego o aguardava.

O proprietário queria US$102 mil, mas oferecemos apenas US$79 mil. Ele aceitou imediatamente. A casa estava comprometida com um financiamento chamado de não qualificado, o que significa que até um vagabundo desempregado poderia comprá-la sem aprovação de qualquer banco. O proprietário estava devendo US$72 mil, e tudo o que meu amigo precisou desembolsar foi US$7 mil, a diferença entre o preço de venda e o financiamento pendente. Logo que o antigo proprietário se mudou, meu amigo alugou a casa. Depois de pagas todas as despesas, incluindo a hipoteca, meu amigo ficava com US$125 mensais.

Seu plano era ficar com a casa por doze anos, acelerando o pagamento da hipoteca com aqueles US$125 mensais. Imaginamos que ao fim desse tempo a maior parte da hipoteca estaria paga e ele obteria uns US$800 líquidos mensais na época em que o primeiro filho entrasse na faculdade. Se a casa se valorizasse também seria possível vendê-la.

Em 1994, o mercado de imóveis de Phoenix registrou uma súbita recuperação e o inquilino que morava na casa e gostava muito dela lhe ofereceu US$156 mil pela mesma. Novamente o amigo me perguntou o que eu achava e eu o aconselhei a vender, recorrendo ao mecanismo de deferimento de imposto da seção 1031.

Agora meu amigo tinha cerca de US$80 mil para fazer alguma coisa. Liguei para uma amiga em Austin, Texas, que pegou esse dinheiro e o aplicou em uma sociedade limitada de uma empresa que estava montando. Dentro de três meses meu amigo passou a receber mensalmente cerca de US$1 mil que ele imediatamente aplicava no fundo mútuo. Em 1996, minha amiga vendeu sua pequena empresa e meu amigo recebeu cerca de US$330 mil por sua parte, os quais foram reinvestidos em um novo projeto de minha amiga, rendendo agora cerca de US$3 mil mensais, que eram novamente aplicados no fundo mútuo. Assim, meu amigo está agora confiante que seu objetivo de juntar US$400 mil será alcançado facilmente, para o que bastaram os US$7 mil iniciais e um pouco de inteligência financeira. Seus filhos poderão ter a instrução que desejam e ele poderá usar o ativo remanescente, mediante sua

Sociedade Anônima C,* para financiar sua aposentadoria. Em decorrência de sua bem-sucedida estratégia de investimento ele poderá aposentar-se cedo.

Obrigado por ler este livro. Espero que lhe tenha oferecido algumas percepções quanto à utilização do poder do dinheiro trabalhar para você. Hoje precisamos de mais inteligência financeira simplesmente para sobreviver. A idéia de que é preciso dinheiro para ganhar dinheiro é o pensamento das pessoas sem sofisticação financeira. Não quer dizer que não sejam inteligentes. Elas simplesmente não aprenderam a ciência de ganhar dinheiro.

O dinheiro é apenas uma idéia. Se você quer mais dinheiro, mude simplesmente sua forma de pensar. Toda pessoa que se fez por si própria começou com uma idéia pequena que transformou em algo grande. O mesmo ocorre com o investimento. São necessários apenas alguns dólares para começar e crescer até atingir algo grande. Já encontrei tanta gente que passa a vida buscando o grande negócio ou tentando acumular dinheiro para entrar em um grande negócio, mas isso me parece tolice. Vi muitos investidores sem sofisticação pôr grandes poupanças num negócio e perder quase tudo rapidamente. Eles podem ter sido bons trabalhadores mas não foram bons investidores.

Instrução e conhecimento sobre dinheiro são importantes. Comece cedo. Compre um livro. Participe de um seminário. Pratique. Comece em pequena escala. Transformei US$5 mil em dinheiro em um ativo de US$1 milhão que gerou um fluxo de caixa de US$5 mil mensais em menos de seis anos. Mas comecei a aprender desde garoto. Incentivo você a aprender porque não é tão difícil assim. De fato é até fácil, uma vez que se pega o jeito da coisa.

Penso que minha mensagem ficou clara. É o que está em sua cabeça que determina o que está em suas mãos. O dinheiro é só uma idéia. Há um livro chamado *Pense e enriqueça* (Editora Record). O título do livro não é *Trabalhe arduamente e enriqueça*. Aprenda a fazer o dinheiro trabalhar com afinco para você e sua vida será mais fácil e mais feliz. Nos dias de hoje, não procure segurança, seja esperto.

---

* Sociedade anônima enquadrada no capítulo C da legislação do imposto de renda dos EUA. (N. T.)

Aja!

Todos receberam dois grandes dons: sua mente e seu tempo. Cabe a você fazer o que quiser com ambos. Você e só você tem o poder de determinar o destino de cada nota de dólar que chega a suas mãos. Gaste-a tolamente, você escolheu ser pobre. Gaste-a com passivos, você fará parte da classe média. Invista-a em sua mente e aprenda a adquirir ativos e você estará escolhendo a riqueza como seu objetivo e seu futuro. A escolha é sua e apenas sua. A cada dia, a cada dólar, você decide ser rico, pobre ou classe média.

Escolha dividir este conhecimento com seus filhos e você os estará preparando para o mundo que os aguarda. Ninguém mais o fará.

O seu futuro e o de seus filhos serão determinados pelas escolhas que você faz hoje, não amanhã.

Desejamos para você muita riqueza e muita felicidade com este fabuloso dom chamado vida.

ROBERT KIYOSAKI
SHARON LECHTER

Os Autores

Robert T. Kiyosaki

"A principal razão que leva as pessoas a enfrentar dificuldades financeiras é que passam anos na escola sem aprender nada sobre dinheiro. O resultado são pessoas que precisam trabalhar pelo dinheiro... mas nunca aprenderam a fazer o dinheiro trabalhar para elas", diz Robert.

Nascido e criado no Havaí, Robert faz parte da quarta geração de uma família nipo-americana. Provém de uma destacada família de educadores. Seu pai foi diretor de ensino do estado do Havaí. Concluído o segundo grau, Robert prosseguiu sua formação em Nova York e depois de formado entrou para a Marinha dos Estados Unidos, indo para o Vietnã como oficial e piloto de helicóptero de combate.

Voltando da guerra, teve início sua carreira de negócios. Em 1977, fundou uma empresa que colocou no mercado a primeira carteira "para surfistas" de nylon e velcro, que se transformou em um sucesso multimilionário sendo vendida em todo o mundo. Ele e seus produtos foram matérias em *Runner's World, Gentleman's Quarterly, Success Magazine, Newsweek* e até *Playboy*.

Abandonou o mundo dos negócios, em 1985, para ser o co-fundador de uma empresa internacional de material educativo que opera em sete países, tendo ensinado negócios e investimentos a milhares de graduados.

Aposentado aos 47 anos, Robert faz o que mais gosta... investir. Preocupado com o crescente hiato entre os que têm e os que não têm, Robert criou um jogo de tabuleiro chamado *CASHFLOW*, que ensina o jogo do dinheiro, até então só conhecido pelos ricos.

Embora o negócio de Robert sejam imóveis e desenvolvimento de pequenas empresas, sua verdadeira paixão é o ensino. Já dividiu o palco com palestrantes destacados como Og Mandino, Zig Ziglar e Anthony Robbins. A mensagem de Robert Kiyosaki é clara: "Assuma a responsabilidade por suas finanças ou receba ordens por toda a sua vida. Você é senhor do dinheiro, ou seu escravo." Robert dá aulas que duram de uma hora a três dias, ensinando às pessoas os segredos dos ricos. Seus temas vão do investimento com altos retornos e baixo risco a como ensinar seus filhos a serem ricos e a como iniciar empresas e vendê-las, mas sua mensagem é sólida e impressionante. E essa mensagem é *Desperte o gênio financeiro que está dentro de você*. Seu gênio espera revelar-se.

Eis o que diz do trabalho de Robert o mundialmente famoso palestrante e autor Anthony Robbins:

"O trabalho de Robert Kiyosaki na educação é poderoso, profundo e altera vidas. Saúdo seus esforços e o recomendo sinceramente."

Nestes tempos de grandes mudanças econômicas, a mensagem de Robert não tem preço.

Sharon L. Lechter

Esposa e mãe de três filhos, formada em contabilidade, gestora e consultora profissional de editoras e fabricantes de brinquedos, Sharon Lechter dedicou seus esforços profissionais à educação.

Diplomou-se Summa Cum Laude em contabilidade na Florida State University. Foi uma das primeiras mulheres a entrar em uma das então oito maiores empresas de contabilidade, foi diretora-financeira de uma empresa de computadores, diretora tributária de uma empresa de seguros nacional e fundadora e editora associada da primeira revista regional feminina do Wisconsin, enquanto prosseguia suas atividades de auditora pública.

Enquanto via seus filhos crescerem, seu interesse foi se voltando cada vez mais para as questões educacionais. Lutava para incentivá-los a ler. Eles preferiam assistir à televisão.

Juntou-se ao inventor do primeiro "livro falante" eletrônico e ajudou a expandir o ramo dos livros eletrônicos que atualmente é uma atividade internacional geradora de milhões de dólares. Continua sendo pioneira no desenvolvimento de novas tecnologias que visam a trazer o livro de volta à vida das crianças.

Esteve profundamente envolvida com a educação de seus filhos. Tornou-se uma ativista incansável da educação nas áreas de matemática, informática, leitura e escrita.

"Nosso sistema de ensino não tem conseguido acompanhar o ritmo das mudanças globais e tecnológicas do mundo atual. Temos que ensinar aos jovens as habilidades acadêmicas e financeiras de que precisarão não só para sobreviver mas para desenvolver-se no mundo com que se deparam."

Como colaboradora de *Pai Rico, Pai Pobre* e *CASHFLOW Quadrant*, ela agora concentra seus esforços no auxílio à criação de instrumentos educacionais para os interessados em melhorar sua educação financeira.

Leituras Recomendadas

Para melhorar sua inteligência financeira

As a Man Thinketh (Inspirador), ***James Allen*** (Ed. bras.: *O homem é aquilo que ele pensa*. Editora Pensamento).

Beating the Street (Seleção de Ações), ***Peter Lynch.***

Chaos – Making a New Science (Geral), ***James Gleick*** (Ed. bras.: *Caos: a criação de uma nova ciência*. Campus).

Creating Wealth (Imóveis), ***Robert Allen.***

E-Myth (Negócios), ***Michael Gerber.***

Incorporate and Grow Rich (Incorporações), ***C. W. Allen.***

Investment Biker (Investimentos), ***Jim Rogers.***

Market Wizards (Negócios em Bolsa), ***Jack Schwager.***

Over the Top (Estratégias de Sucesso), ***Zig Ziglar*** (Ed. bras.: *Além do topo*. Record).

The New Positioning (Marketing), *Jack Trout* (Ed. bras.: *O novo posicionamento*. Makron Books).

The Wall Street Journal Guide to Understanding Money & Investing (Ações, títulos, fundos mútuos, futuros, dinheiro), ***Kenneth M. Morris, Allan M. Seigel.***

The Warren Buffet Way (Estratégias de Investimento), *Robert Hagstrom* (Ed. bras.: *Warren Buffet* Makron Books).

Trading For A Living (Negócios em Bolsa), *Dr. Alexander Elder.*

Unlimited Power (Estratégias de Sucesso), *Anthony Robbins* (Ed. bras.: *Poder sem limites.* Best-Seller).

Unlimited Wealth (Riqueza), *Paul Zane Pilzer.*

Para maiores informações sobre o Cashflow ou sobre o sistema de ensino do autor, escreva para:

Cashflow Technologies, Inc. 6611 N. 64th Place Paradise Valley, Arizona 85253

Ou visite o site:
www.cashflowtech.com